>> 改訂版

完全マスター

1級
日本語能力試験
文法問題対策

植木香・植田幸子・野口和美 著

スリーエーネットワーク

© 1997 by UEKI Kaori, UEDA Sachiko, and NOGUCHI Kazumi

All rights reserved. No part of this publication may be reproduced, stored in a retrieval system, or transmitted in any form or by any means, electronic, mechanical, photocopying, recording, or otherwise, without the prior written permission of the Publisher.

Published by 3A Corporation.
Trusty Kojimachi Bldg., 2F, 4, Kojimachi 3-Chome, Chiyoda-ku, Tokyo 102-0083, Japan

ISBN978-4-88319-356-1 C0081

First published 1997
Revised Edition 2005
Printed in Japan

はじめに

　1997年に『完全マスター1級日本語能力試験文法問題対策』初版が出版されてから、早8年が経ちました。この本がこのように長期にわたって用いられ、また様々な国においても出版され、日本語能力試験を受験しようとする多くの方々が手にしてくださっていることは著者一同大きな喜びです。また、それと同時に重い責任も感じております。

　現在も、世界各国で、日本語を学び日本語能力試験を受験される方々は増え続け、その対策用に『日本語能力試験出題基準』（1994年国際交流基金・日本国際教育協会著作・編集 凡人社刊）に基づいた様々な本が出版されております。その様な状況の下で『完全マスター1級・日本語能力試験文法問題対策』が、変わらず多くの方々にお使いいただいてきた理由の一つには、それが日本語能力試験1級を目指して真剣に学習している方々と教室でじかに接し、より効果的な教材を模索していく過程の中で生まれたものであるということが挙げられるでしょう。

　しかしながら、年月を経るにつれ、1997年当時の私たちの分析とは異なった問題も多々出題される傾向にあります。今回、このような状況に対して早急に改善策を講じるべく、新たに改訂版を出版させていただくことになりました。『日本語能力試験出題基準―文法的な〈機能語〉の類1級』に掲げられたものをすべて網羅し、合格のためのより実戦的な学習の助けとなり、また日常生活においても十分に使いこなせる実力を養うための一助にしていただきたいという願いに変わりはありません。そのためにも、今回は思いきった見直しをいたしました。

　主な改訂内容は次の3点です。

　1．まず、構成を機能語の意味・機能・形式等によって分類し、1～7章に配することとしました。意味や形の似ている機能語をまとめて学習することで、より確実に把握していけると判断したからです。また、各章の終わりには「確認問題」と、過去に出題された問題をふまえた「実戦問題」を加え、実際の試験に備えられるようにしました。

　2．新たに、その章で扱う機能語を全て組み込み、実際の使われ方を示した文章例「読みましょう」を加えました。各章末に配したこれらの文章例を用いて、機能語の理解と定着をより確実なものにすることができるでしょう。文脈の中で意味を捉えることで、学習効果を高めると共に、長文読解力の養成にも役立てていただけることと思います。

　3．近年、日本語能力試験には『日本語能力試験出題基準』に示された機能語以外の文法問題も多く出題される傾向にあります。そこで、実際に出題されたそれらの過去問題（1996年度～2003年度）も第8章で取り上げました。これらを加えることによって、より広い視

野をもった学習をしていただけるものと考えます。

　各機能語に対する意味の説明や接続する品詞とその形・例文・注意の明示、また機能語ごとに対応した練習問題、さらに各章の確認問題・実戦問題と文章例「読みましょう」、全体の総合問題等、これまでのものよりさらに行き届いた構成になっています。本書に用意された様々な形式の問題を解くことで、十分に実戦力を養っていただけるものと思います。

　今回の改訂版には、私共著者の実際の授業における成果と共に、同僚の先生方や学習者の方々のご意見も数多く反映されております。そのことに厚くお礼を申し上げたいと思います。本書の作成にあたって、そぞろ工房の三木延義氏にイラストを描いていただきましたこと、スリーエーネットワークの藤井晶子氏、堤由子氏をはじめ皆様方に有益なご助言と励ましをいただきましたことを記し、厚くお礼申し上げます。

　一人でも多くの日本語学習者とご指導にあたる先生方のお役に立つことを心より願いつつ作成いたしました。不十分な点もあるかと思いますが、お気づきの点やご意見などいただければ幸いです。

　　2005年6月

著者一同

本書をお使いになる方々へ

　本書は日本語能力試験1級を目指す方々が試験に備えて無理なく確実に実戦力が養えるよう配慮して作成されています。

　『日本語能力試験出題基準』に揚げられた1級の文法的機能語を、その意味・機能・形などに従って、分野別に7つの章に分け、五十音順に提出しています。各機能語ごとに解説と練習問題が付けられており、提出順に1〜109まで番号を付け、類似表現などの参照の際の便宜を図りました。各章を終了した時点でその章の確認問題・実戦問題と文章例で、確認と定着を図ります。第8章には、出題基準機能語以外で1996年度から2003年度までの間に日本語能力試験1級文法に出題された問題をもとに、学習項目を設けました。過去問題や練習問題、実戦問題を付しています。すべての章を学習した後に総合問題に進みます。

1. 使用語彙と表記

　日本語能力試験1級を目指す学習者のために、語彙や漢字は1級レベルのものをとり入れています。ただし、文法の理解を助けるために、難しい漢字や読み誤るおそれのある漢字には各ページ初出のもののみルビをつけました。原則として数字は算用数字で、擬音語は片仮名で、擬態語は平仮名で表記しました。

2. 解説

　🔲意味　できるだけわかりやすい言葉に置き換えてあります。一つの機能語に複数の意味がある場合には、A、Bに分けました。意味だけでは不十分な場合には、説明を加えました。

　　　　※見出し語の横の記号は以下の内容を表します。

　　　　　　🗨　話し言葉的表現
　　　　　　✏　書き言葉的表現
　　　　　　固　改まった固い表現

　➕接続
1) 接続は、動詞［動］・い形容詞［い形］・な形容詞［な形］・名詞［名］の4品詞について示しました。名詞には単語としての名詞だけでなく、「〜こと」・「〜もの」・「〜わけ」・「〜はず」などのような名詞句や節も含まれます。接続の各品詞の形については、必ずしも文法的に可能なものを網羅的に取り上げるのではなく、これだけ確実に押さえておけば、ほぼ実際に使われている文に対応できると思われる範囲で示しました。

2) 品詞・活用形は原則として次のように表示しました。

動詞				
	[動-ない形] ：書か		[動-ば]	：書けば
	[動-ない形-ない] ：書かない		[動-命令形]	：書け
	[動-ます形] ：書き		[動-意向形]	：書こう
	[動-辞書形] ：書く		[動-受身]	：書かれる
	[動-て形] ：書いて		[動-使役]	：書かせる
	[動-た形] ：書いた		[動-可能]	：書ける
い形容詞	[い形-○] ：寒		[い形-く]	：寒く
	[い形-い] ：寒い		[い形-ければ]	：寒ければ
な形容詞	[な形-○] ：親切		[な形-なら]	：親切なら
	[な形-な] ：親切な		[な形-である]	：親切である
名詞	[名] ：学生		[名-なら]	：学生なら
	[名-の] ：学生の		[名-である]	：学生である

普通形

動詞	書く	書かない	書いた	書かなかった
い形	寒い	寒くない	寒かった	寒くなかった
な形	親切だ	親切じゃ／ではない	親切だった	親切じゃ／ではなかった
名詞	学生だ	学生じゃ／ではない	学生だった	学生じゃ／ではなかった

名詞修飾型

動詞	読む	読まない	読んだ	読まなかった
い形	小さい	小さくない	小さかった	小さくなかった
な形	元気な	元気じゃ／ではない	元気だった	元気じゃ／ではなかった
名詞	病気の	病気じゃ／ではない	病気だった	病気じゃ／ではなかった

例文　複数の機能語が並んでいる場合はその順に、次に接続で示した品詞の順に提出し、機能語部分に下線をつけました。

その他　!! 注意　意味や接続以外の注意事項をつけ加えました。

　　　　参考　関連語や関連表現等の意味や例文等を載せました。

　　　　慣用　機能語を使った慣用表現の意味や例文を載せました。

　　　　類語　既習の類似表現を参照に便利なように本書の機能語番号とともに載せました。『日本語能力試験出題基準—文法的〈機能語〉の類2級』に掲載されているものには ★2級 と示しました。

※なお、解説中の「文語体」は古典文法に基く文体の意味で用いています。

3．問題
　まず、前の2ページで解説された各機能語に対応した練習問題で、一つ一つの語の意味や使い方を十分に練習します。ここには接続の形を含め、様々な形式の問題が用意されています。各章を終了した時点で章末の確認問題と、過去問題をふまえた実戦問題に進み、応用力を養います。「読みましょう」では、ある程度の長さの文の中で、機能語の実際の使われ方を確認します。そしてすべての章を学習した後に総合問題Ⅰ・Ⅱで実力を確かめます。
　章末の確認問題・実戦問題、および総合問題はテストとして利用することもできます。

4．解答
　別冊として挟み込みになっています。必要に応じ、取り外して使用することもできます。

目　　次

第1章　時を表す表現

1-1　同時に二つの動作や状況が
　　　進行している時の表現

1　〜かたがた …………………2
2　〜かたわら
3　〜がてら

1-2　ほぼ同時にまたは直後に、
　　　二つの動作を行ったり、状況が
　　　起こったりする時の表現

4　〜が早いか …………………3
5　〜そばから
6　〜なり

練習問題 1〜6 ………………4
7　〜や／〜や否（いな）や ……………6

1-3　始まりや終わりの時・
　　　期限などを表す表現

8　〜てからというもの
9　〜を限りに
10　〜を皮（かわ）切（き）りに（して）／
　　〜を皮切りとして …………7
11　〜をもって
練習問題 7〜11 ………………8
第1章　確認問題 ………………10
第1章　実戦問題 ………………11
読みましょう① ………………12
読みましょう② ………………13
読みましょう③ ………………14

第2章　接続的表現

2-1　順接－条件を表す表現

12　〜が最後 …………………16
13　〜ことなしに
14　〜とあれば
15　〜ともなると／〜ともなれば …17
16　〜なくして（は）
17　〜なしに（は）
練習問題 12〜17 ………………18
18　〜ならでは …………………20

2-2　順接－理由・目的などを
　　　表す表現

19　〜こととて
20　〜ではあるまいし／
　　〜じゃあるまいし
21　〜とあって …………………21
22　〜べく
練習問題 18〜22 ………………22
23　〜ゆえ（に）／〜ゆえの ………24

2-3　逆接

24　〜たところで
25　〜であれ
26　〜といえども …………………25
27　〜と思いきや
28　〜ところを
練習問題 23〜28 ………………26
29　〜としたところで／〜としたって／
　　〜にしたところで／〜にしたって
　　　　　　　　　　　…………28
30　〜とはいえ

31	～ながらも …………29	46	～もさることながら …………48
32	～ものを		3-3 二つの語を組にして用いる表現
33	～(よ)うが／～(よ)うと	47	～つ～つ

練習問題 29～33 …………30
第2章 確認問題 …………32
第2章 実戦問題 …………34
読みましょう④ …………36
読みましょう⑤ …………37
読みましょう⑥ …………38

48　～であれ～であれ
49　～といい～といい …………49
50　～なり～なり
51　～(よ)うが～まいが／
　　　～(よ)うと～まいと

練習問題 46～51 …………50
52　～(よ)うにも～ない …………52
練習問題 52 …………53
第3章 確認問題 …………54
第3章 実戦問題 …………56
読みましょう⑦ …………58
読みましょう⑧ …………59
読みましょう⑨ …………60

第3章　事柄・動作・作用などの関係を表す表現

3-1　後にくる状況との関係を表す表現

34　～いかん …………40
35　～いかんによらず／
　　　～いかんにかかわらず／
　　　～いかんを問わず
36　～と相まって
37　～にかかわる …………41
38　～をものともせずに
39　～をよそに

練習問題 34～39 …………42

3-2　複数の事柄を比較対照して状況を表す表現

40　ただ～のみならず …………44
41　～ないまでも
42　～にひきかえ
43　～にもまして …………45
44　～はおろか
45　ひとり～だけでなく／
　　　ひとり～のみならず

練習問題 40～45 …………46

第4章　状況や様子を表す表現

4-1　状況や様子を表す表現

53　～ごとき／～ごとく …………62
54　～ずくめ
55　～っぱなし
56　～とばかりに …………63
57　～ともなく／～ともなしに
58　～ながらに

練習問題 53～58 …………64
59　～なりに／～なりの …………66
60　～にあって
61　～に至る／～に至るまで／
　　　～に至って(は)／～に至っても
62　～にそくして／～にそくした …67
63　～にたえない
64　～にたえる

練習問題 59～64 …………68

ix

65 〜に足る …………70	85 〜んがため(に)／
66 〜まみれ	〜んがための …………91
67 〜めく	5-2 状況を強調する表現
68 〜をもって …………71	86 〜かぎりだ
69 〜んばかりだ／〜んばかりに／	87 〜極まる／〜極まりない
〜んばかりの	練習問題 82〜87 …………92
練習問題 65〜69 …………72	88 〜にたえない …………94
第4章 確認問題 …………74	89 〜の至り
第4章 実戦問題 …………76	90 〜の極み
読みましょう⑩ …………78	練習問題 88〜90 …………95
読みましょう⑪ …………79	第5章 確認問題 …………96
	第5章 実戦問題 …………98
	読みましょう⑫ …………100
第5章 強調する表現	読みましょう⑬ …………101
5-1 語句を強調する表現	読みましょう⑭ …………102
70 〜あっての …………82	
71 〜からある／〜からの	
72 〜ごとき	第6章 否定の形をとる表現
73 〜(で)すら …………83	6-1 否定の形
74 ただ〜のみ	91 〜てやまない …………104
75 〜だに	92 〜といったら(ありはし)ない
練習問題 70〜75 …………84	93 〜に(は)あたらない
76 〜たりとも …………86	94 〜にかたくない …………105
77 〜たる	95 〜べからざる
78 〜でなくてなんだろう／	96 〜べからず
〜でなくてなんであろう	練習問題 91〜96 …………106
79 〜ときたら …………87	97 〜までもない／
80 〜とは	〜までもなく …………108
81 〜にして	98 〜を禁じ得ない
練習問題 76〜81 …………88	6-2 二重否定の形
82 〜ばこそ …………90	99 〜ずにはおかない
83 〜まじき	100 〜ずにはすまない …………109
84 〜をおいて	101 〜ないではおかない
	102 〜ないではすまない
	練習問題 97〜102 …………110

103 ～ないものでもない……………112
練習問題 103 ……………………113
第6章 確認問題 ………………114
第6章 実戦問題 ………………116
読みましょう⑮ ………………117
読みましょう⑯ ………………118

第7章 その他の文末表現

7-1 文末表現
104 ～きらいがある ……………120
105 ～しまつだ
106 ～というところだ／
　　～といったところだ
107 ～ばそれまでだ ……………121
108 ～まで(のこと)だ
109 ～を余儀なくされる／
　　～を余儀なくさせる
練習問題 104 ～ 109 ……………122
第7章 確認問題 ………………124
第7章 実戦問題 ………………125
読みましょう⑰ ………………126

第8章 出題基準機能語以外の重要な表現

8-1 過去に出題された機能語的表現（出題基準以外）
1　～(なんて)よく言える ………128
2　～ないともかぎらない
3　～にこしたことはない
4　～もさしつかえない …………129
5　言わずもがな
6　～てはかなわない
7　～てみせる ……………………130
8　～なくはない／～ないでもない
9　～はばからない
10　～やら ………………………131
11　～(よ)うものなら
12　～割に(は)
13　～かいもなく ………………132
14　～ずじまい
15　～だけまし
16　～にかこつけて ……………133
17　～にとどまらず
18　～のなんのと
19　～をふまえて ………………134
20　～んだって
21　～たなら…だろうに
22　～ては…、～ては… ………135
23　～というもの
24　(どんなに)～と(も)
25　～ことだし ………………136
26　～てでも
27　～てまえ
28　～てまで… …………………137
29　～をおして
30　～を経て
練習問題 ………………………138

8-2　受身・使役・使役受身 ……140
8-3　敬語 ………………………142
8-4　自動詞・他動詞 …………143
第8章 確認問題 ………………144

総合問題　第1回 ………………148
総合問題　第2回 ………………150

索引 ……………………………152

解答（別冊）

第1章
時を表す表現

1-1　同時に二つの動作や状況が進行している時の表現
1-2　ほぼ同時にまたは直後に、二つの動作を行ったり、
　　　状況が起こったりする時の表現
1-3　始まりや終わりの時・期限などを表す表現

---

1 〜かたがた・2 〜かたわら・3 〜がてら・4 〜が早いか・
5 〜そばから・6 〜なり・7 〜や／〜や否や・8 〜てからというもの・
9 〜を限りに・10 〜を皮切りに(して)／〜を皮切りとして・
11 〜をもって

1-1　同時に二つの動作や状況が進行している時の表現

1　〜かたがた　[固]

- **意味**　〜を兼ねて　　一つの行為が二つの目的のために行われる時の表現。
- **接続**　［名］＋かたがた

① 無事に卒業できたので、恩師に報告かたがた、手紙を書いた。
② ご挨拶かたがた、伺いました。

注意　上の例のほかに「お礼」「お見舞い」「お詫び」などの限られた名詞と共に用いる。

類語　3 〜がてら

2　〜かたわら

- **意味**　〜一方で
  何か主なことをしているほかに、もう一つのことを行っている状況を表す。
  長い間続けていることに用いる場合が多い。
- **接続**　［動－辞書形］／［名－の］　＋かたわら

① わたしの母は自分で編み物を習うかたわら、人にも教えている。
② 彼は銀行員としての仕事のかたわら、作曲もしていました。

3　〜がてら

- **意味**　〜のついでに
  ある一つの動作をして、もう一つほかの目的も果たすことを表す。
- **接続**　［動－ます形］／［名］　＋がてら

① お近くにお越しの折には、お遊びがてら、お寄りください。
② 散歩がてら、たばこを買って来よう。

類語　1 〜かたがた

1-2 ほぼ同時にまたは直後に、二つの動作を行ったり、状況が起こったりする時の表現

4 〜が早いか

意味 〜とすぐに
続けてすぐに後の動作をする、あるいはその瞬間に何かが起こる様子を表す。

接続 ［動－辞書形／た形］＋が早いか

① わたしの顔を見るが早いか、彼は性急にしゃべりはじめた。
② 地震だと叫ぶが早いか、子供たちは机の下にもぐり込んだ。
③ ベルが鳴ったが早いか、生徒たちは教室を飛び出して行った。

類語 6〜なり・7〜や／〜や否や・★2級 〜たとたん(に)

5 〜そばから

意味 〜とすぐに　次々に同じことを繰り返している様子を表す。

接続 ［動－辞書形／た形］＋そばから

① 庭をきれいに掃くそばから落ち葉が散ってくる。
② 聞いたそばから忘れてしまうなんて、我ながら情けない。

参考 「〜はしから」
〈〜とすぐに〉
・聞いたはしから忘れてしまうなんて、我ながら情けないよ。

6 〜なり

意味 〜とすぐ
ある動作に続いてすぐに後の動作をしたり、何か予期しないことが起こる時の表現。

接続 ［動－辞書形］＋なり

① 友人は部屋に入って来るなり、どっかりと腰を下ろした。
② 父は深夜に帰宅した弟の顔を見るなり、怒鳴りつけた。

類語 4〜が早いか・7〜や／〜や否や・★2級 〜たとたん(に)

第1章　練習1-3

1

1．次の文の＿＿＿の意味に最も近いものをa〜dの中から選びなさい。

昨日、先生の新しい作品を<u>拝見かたがた</u>、久しぶりにみんなでお宅に伺った。

　　a．拝見しつつ　　　　　　　　b．拝見するのをかねて
　　c．拝見しながら　　　　　　　d．拝見するのに先だって

2．次の文の（　）に最も適当なものをa〜dの中から選びなさい。

| a．お詫び　　b．お礼　　c．お見舞い　　d．ご挨拶 |

1）先日は大変お世話になりまして、今日は（　　　）かたがた、伺いました。
2）先生が風邪を引かれたと伺ったので、（　　　）かたがた、お訪ねしてみよう。
3）本日は、今回ご迷惑をおかけした（　　　）かたがた、お訪ねしました。
4）引っ越しの（　　　）かたがた、近所に住んでいる上司のお宅を訪ねた。

2

1．次の文の（　）に最も適当なものをa〜dの中から選びなさい。

1）彼女は3人の幼い子供たちを育てるかたわら、（　　　）。
　　a．犬も飼っている　　　　　　　b．夫の事業も手伝っている
　　c．家庭も忘れない　　　　　　　d．遊んでばかりいる

2）我が社は企業として（　　　）かたわら、福祉事業にも力を注いでいる。
　　a．利潤を追求する　　　　　　　b．一流会社でない
　　c．人員整理を進める　　　　　　d．業績が伸びない

2．次の文の＿＿＿に適当な言葉を入れなさい。

1）その学生は国家試験を目指して＿＿＿＿＿＿に励むかたわら、アルバイトをして家計を助けている。
2）彼は多忙な医者の仕事のかたわら、＿＿＿＿＿＿としても活躍している。

3

1．次の文の＿＿＿の意味に最も近いものをa〜cの中から選びなさい。

1）せっかく上京したのだから<u>見物がてら</u>、買い物でもしよう。
　　a．見物するまえに　　b．見物のついでに　　c．見物したあとで

2）新任の<u>挨拶がてら</u>、新しい会社の中を見て回った。
　　a．挨拶するために　　b．挨拶したくて　　c．挨拶をかねて

2．次の文の＿＿＿に適当な言葉を入れなさい。

1）5時を過ぎ、やっと涼しくなったので夕涼みがてら、駅前のスーパーまで＿＿＿＿＿＿。
2）桜も満開になったので、＿＿＿＿＿＿がてら、近くの公園まで散歩に出かけた。
3）＿＿＿＿＿＿がてら、イギリスに留学している娘の顔を見に行くことにした。

4

1．次の文の（　）に最も適当なものをa～cの中から選びなさい。
1）よほど疲れていたのか、彼は布団に入るが早いか、（　　　）。
　　a. 眠るところだ　　　b. 眠ったばかりだ　　c. 眠ってしまった
2）ラッシュ時の電車にはドアが（　　　）が早いか、人がどっと乗り込んで来る。
　　a. 開いて　　　　　　b. 開く　　　　　　　c. 開いたら

2．次の文の＿＿＿に適当な言葉を入れなさい。
1）彼は「いただきます」と言ったが早いか、＿＿＿＿＿＿＿＿。
2）泥棒は警官の姿を＿＿＿＿＿＿＿＿早いか、慌てて逃げ出した。
3）バーゲンセールのデパートには開店するが早いか、大勢の客が＿＿＿＿＿＿＿＿。

5

1．次の文の（　）に最も適当なものをa～cの中から選びなさい。
1）うちの息子は掃除するそばから（　　　）ので、まったく腹が立つ。
　　a. 片付ける　　　　　b. 散らかす　　　　　c. 洗濯する
2）（　　　）そばからまた同じ間違いをするなんて、我ながら嫌になる。
　　a. 注意されると　　　b. 注意されて　　　　c. 注意された
3）聞いたそばから、（　　　）覚えていくとは、彼の記憶力は抜群だ。
　　a. どんどん　　　　　b. だんだん　　　　　c. ゆっくり

2．次の文の＿＿＿に適当な言葉を入れなさい。
1）彼は禁煙すると言ったそばから、すぐまた＿＿＿＿＿＿＿＿。
2）この品物は評判がよくて、店頭に＿＿＿＿＿＿＿＿そばから売れてしまいます。

6

1．次の文の＿＿＿の意味に最も近いものをa～dの中から選びなさい。
1）その怪しい男は警官の姿を見るなり、逃げ出した。
　　a. 見たので　　b. 見れば　　c. 見ながら　　d. 見るとすぐ
2）うちの子は玄関にかばんを置くなり、遊びに行ってしまう。
　　a. 置いたそばから　　　　　　b. 置くが早いか
　　c. 置くと　　　　　　　　　　d. 置いてから

2．次の文の＿＿＿に適当な言葉を入れなさい。
1）山田さんはその料理を一口＿＿＿＿＿＿＿＿なり、「うまい」と声をあげた。
2）タイのナロンさんは寒い冬の日本へ＿＿＿＿＿＿＿＿なり、風邪を引いてしまった。

7 〜や／〜や否や

意味 〜とすぐに・〜とほとんど同時に
続いてすぐに後の動作をする、あるいは何かが起こることを表す。

接続 ［動－辞書形］＋や／や否や

① エレベーターのドアが開くや、猫が飛び出して来た。
② サイレンが聞こえるや否や、皆一斉に立ち上がった。

類語 4〜が早いか・6〜なり・★2級 〜たとたん（に）

1-3 始まりや終わりの時・期限などを表す表現

8 〜てからというもの

意味 〜てから後はずっと
「AてからというものB」はAがあった後、それがきっかけでずっとBのような状況・状態になっていることを表す。

接続 ［動－て形］＋からというもの

① 娘が帰って来てからというもの、年老いた父親は見違えるほど元気になった。
② 水泳を習い始めてからというもの、冬でも風邪を引かなくなった。

9 〜を限りに

意味 〜を最後として・〜までで
接続 ［名］＋を限りに

① 今日を限りに、この学校ともお別れです。
② その映画の上映は15日を限りに打ち切られることとなった。

参考 1「〜を限りに／〜の限り」
〈「精一杯、限界まで」の意味で用いられる慣用的表現。〉
・ボートが沖へ流されてしまい、子供たちは声を限りに叫んでいる。
・最終ランナーは、力の限り走っています。

2「〜限りで」
〈〜を最後として・〜までで〉
・山本さんは今月限りで退職します。

10　～を皮切りに(して)／～を皮切りとして

> **意味**　～をはじめとして・～したことから始まって
> 　　　　その後に同じようなことが次々に行われる時の表現。
> 　　　　いい事柄の始まりを表すのに使われることが多い。
>
> **接続**　［動－辞書形／た形］の ｝＋を皮切りに(して)／を皮切りとして
> 　　　　［名］

① 朝の連続ドラマに主演したのを皮切りに、彼女はスターへの道を歩み始めている。
② 競技場では、100メートル競走を皮切りとして、次々に熱戦が繰り広げられた。

11　～をもって　　固

> **意味**　～で
> 　　　　終了や始まりの区切り、または限界となる時点などを明示する。
> 　　　　挨拶などに用いられ、「～をもちまして」と丁寧な言い方をする場合も多い。
>
> **接続**　［名］＋をもって

① 本日の営業は午後7時をもって終了いたします。
② これをもちまして本日の披露宴をめでたくお開きとさせていただきます。

◀ 参考　68 ～をもって（手段・方法）

第1章　練習7-9

7

1．次の文の_____の意味に最も近いものをa～cの中から選びなさい。

1）その本は出版されるや、たちまちベストセラーになった。
　　a．出版されたので　　b．出版されてすぐ　　c．出版されれば

2）非常ベルが鳴るや否や、人々は先を争って逃げ出した。
　　a．鳴ったが早いか　　b．鳴ったところを　　c．鳴ったので

2．次の文の（　　）に最も適当なものをa～cの中から選びなさい。

1）授業が終わるや否や、彼は教室を（　　　）出て行った。
　　a．ゆうゆうと　　b．のろのろと　　c．あたふたと

2）落ち込んでいた彼女だが、恋人の顔を見るや否や（　　　）。
　　a．元気だった　　b．元気になった　　c．元気だろう

8

1．次の文の_____の意味に最も近いものをa～cの中から選びなさい。

1）仕事を辞めてからというもの、弟は一日中家でごろごろしている。
　　a．辞めてしばらく　　b．辞めた後ずっと　　c．辞めると言うと

2）わたしは雑誌で日本の記事を読んでからというもの、いつか日本へ来ることを夢見ていた。
　　a．読んだそばから　　b．読むが早いか　　c．読んで以来

2．次の文の_____に適当な言葉を入れなさい。

1）その事件が新聞やテレビで_____からというもの、人々の安全に対する関心が高まっている。

2）社会人に_____からというもの、学生時代のようには遊ぶ時間が持てなくなった。

3）かわいがっていた子犬が死んでからというもの、妹は_____ばかりいる。

9

1．次の文の（　　）に最も適当なものをa～cの中から選びなさい。

1）人事部の山田さんは、明日を限りに（　　　）します。
　　a．入社　　b．退職　　c．出張

2）最近、体調がよくないので、今日を限りに（　　　）と思う。
　　a．薬を飲もう　　b．病院へ行こう　　c．たばこをやめよう

3）決勝戦の試合は大いに盛り上がり、観客は声を限りに（　　　）。
　　a．応援した　　b．見入った　　c．手を振った

2．次の文の_____に適当な言葉を入れなさい。

1）彼は帰国するため_____を限りにこの学校を退学する。

2）あのサッカー選手は今度の試合を限りに_____発表した。

3）挑戦者は_____の限り立ち向かったが、チャンピオンにはかなわなかった。

10

1．次の文の（　）に最も適当なものをa～cの中から選びなさい。
1）10年前のハワイ旅行を皮切りに、母は（　　　）。
　　a．二度とハワイへ行くまい
　　b．もう外国はこりごりだと言っている
　　c．毎年どこか海外へ出かけている
2）国際環境会議が（　　　）のを皮切りに、各国の環境問題への関心が徐々に高まってきた。
　　a．開かれた　　　　b．開かれる　　　　c．開かれて

2．次の文の＿＿＿に適当な言葉を入れなさい。
1）その展覧会は東京を皮切りに、日本の＿＿＿＿＿＿＿で開催される予定です。
2）課長が＿＿＿＿＿＿＿を皮切りに、他の社員たちも次々に社長に向かって意見を述べ始めた。
3）A社の小型コンピュータの開発を皮切りとして、業界では＿＿＿＿＿＿＿が進んでいる。

11

1．次の文の（　）に最も適当なものをa～cの中から選びなさい。
1）あの金メダリストは今回のオリンピックをもって（　　　）ということだ。
　　a．引退する　　　　b．出場する　　　　c．勝利する
2）私は本日をもって、この会社を（　　　）。
　　a．休みます　　　　b．退職いたします　　　c．訪問いたします

2．次の文の＿＿＿に適当な言葉を入れなさい。
1）ただ今をもちまして、お電話での申し込みの受け付けを＿＿＿＿＿＿＿いただきます。
2）店内改装のため、今月末をもって＿＿＿＿＿＿＿ことになりました。

第1章　確認問題（1〜11）

次の文の（　　）に最も適当なものをa〜dの中から選びなさい。

1．今、あのデパートでは、わたしの好きな画家の展覧会をやっているそうだ。
　　買い物（　　）見に行こう。
　　a．にあたって　　b．ながら　　c．とともに　　d．がてら

2．大学に（　　）、うちの息子は毎日遊んでばかりいる。
　　a．入ったそばから　　　　　b．入ったあげくに
　　c．入るかたわら　　　　　　d．入ってからというもの

3．警官の姿を（　　）、その男は逃げ出した。
　　a．見れば早くに　　　　　　b．見るが早いか
　　c．見ると早くて　　　　　　d．見たら早いか

4．注意された（　　）すぐまた間違ってしまうとは、まったく彼は慌て者だ。
　　a．なり　　b．や否や　　c．が早いか　　d．そばから

5．本会議は午後5時（　　）、閉会となります。
　　a．になって　　b．にあたって　　c．をもって　　d．を皮切りに

6．母親の帰りを待ちわびていた子供は、顔を見る（　　）泣き出してしまった。
　　a．なり　　b．次第　　c．そばから　　d．とたんに

7．彼はよほど疲れていたのだろうか、電車に乗って座る（　　）大きないびきをかき始めた。
　　a．とたんに　　b．や否や　　c．そばから　　d．次第

8．A社との取引は今月末（　　）打ち切られることとなった。
　　a．に限って　　b．や否や　　c．を限りに　　d．に際して

9．卒業のご挨拶（　　）、今晩先生のお宅に伺うことにした。
　　a．とともに　　b．かたがた　　c．かたわら　　d．かねて

10．彼女は会社勤めの（　　）、夜はパソコンの専門学校にも通っているそうだ。
　　a．かたわら　　b．かたがた　　c．かねて　　d．がてら

11．彼は東京に小さな店を持ったの（　　）日本各地に次々と支店を出した。
　　a．がはじめに　　b．を皮切りに　　c．を限りに　　d．に先だって

第1章　実戦問題

次の文の（　　）に最も適当なものをa～dの中から選びなさい。

1．選手たちは球場に着くが（　　）ユニホームに着替えて練習を始めた。
   a. はやいや　　　b. はやいか　　　c. はやくて　　　d. はやいと

2．今日はいい天気だし、散歩（　　）近くの図書館まで、本を借りに行こう。
   a. につれて　　　b. がてら　　　c. とともに　　　d. かたわら

3．横綱は今場所を（　　）引退することを決意した。
   a. かぎりに　　　b. かぎって　　　c. 皮切りに　　　d. ばかりに

4．父は高校で美術を教える（　　）家では絵画教室を開いている。
   a. そばから　　　b. ところを　　　c. かたわら　　　d. やいなや

5．テニスの楽しさを知ってからと（　　）、彼女は毎日のようにテニスクラブに通っている。
   a. いうこと　　　b. いうもの　　　c. いうと　　　d. いうのに

6．新劇場の完成まであと一息だ。完成の記念公演を（　　）、オペラやコンサートなどの上演が既に決定している。
   a. 限りに　　　b. 初めに　　　c. 皮切りに　　　d. 最後に

7．明日は進学のことでお世話になった恩師のお宅へお礼（　　）伺うつもりです。
   a. がてら　　　b. ついでに　　　c. かたわら　　　d. かたがた

8．注意する（　　）息子が部屋を散らかすので、彼の母親はうんざりしているようだ。
   a. そばから　　　b. あとから　　　c. まえから　　　d. よこから

9．彼女は冷蔵庫から取り出した牛乳を一口（　　）なり、吐き出し、「腐っている」と叫んだ。
   a. 飲んで　　　b. 飲もう　　　c. 飲んだ　　　d. 飲む

10．テレビを見ていた弟は、母が来たと（　　）慌ててテレビを消して勉強を始めた。
   a. したら　　　b. なれば　　　c. わかるや　　　d. みてから

その機能語が出題された年度

【1996】1. 2.　【1997】3.　【1998】4.　【1999】5. 6.　【2000】7.　【2001】8.
【2002】9.　【2003】10.

読みましょう①　　お見舞い

1 〜かたがた・2 〜かたわら・3 〜がてら

　故郷の母から庭になったと、柿の実が送られてきた。さっそく口にすると、ほの甘い懐かしい味がする。
　「そうだ、おじさんの所へ持ってってあげよう。」
　近くに住むおじだが、最近あまり具合がよくないと聞いている。お見舞い<u>かたがた</u>久しぶりに故郷の話でもしてこよう、と思い立った。おじは銀行に勤める<u>かたわら</u>野山の草花の写真を撮り続け、短いエッセイを付した写真集も数冊出版している。
　おじの家は江戸川の近くにある。土曜の午後、わたしは電車を降りると、いつものように川の土手を歩いておじの家へと向かった。広々とした川面を眺め、ジョギングしたり、のんびり歩いたりしている人々とすれ違いながら行くと、向こうの方で二人連れが手を振っているのが見えた。おじ夫婦だ。二人の所まで駆けて行った。
　「おじさん、もう歩いても大丈夫なの？」
　「うん、今日は気分もいいし、散歩<u>がてら</u>、迎えに来たんだ。よく来たね。」
　思ったよりずっと元気そうなおじを見て、わたしはすっかりうれしくなった。

2級：〜ように

読みましょう②　　猛犬注意

5 ～そばから・4 ～が早いか・6 ～なり・8 ～てからというもの

　僕は大学1年生だ。夏休みに入ってお中元配達のアルバイトを始めた。この時期、運送会社の倉庫では皆大忙しだ。山積みされた荷物を仕分けして配達に回すそばから、新しい荷物が次々と運び込まれてくる。僕は毎日たくさんの荷物を小さな車に積めるだけ積んで、汗をかきながら配達に精を出している。

　先日あるお宅に伺った時のこと、僕は玄関前で家の人が出てくるのを待っていた。ところが、ドアが開くが早いか、家の中から大きな犬が飛び出してきた。そして、そのまま僕に飛びかかってきたのだ。僕は不意をくらって荷物を抱えたまま、ドスンとしりもちをついてしまった。犬は僕の上にかぶさるなり、顔をぺろぺろなめ始めた。奥さんが大あわてで犬を僕から引き離してくれた。そして、

　「ごめんなさいね。大丈夫？」

と、しきりに謝っている。本当に驚いた。奥さんも犬を押さえようとしたとたんにドアにおでこをぶつけたそうだ。

　このことがあってからというもの、僕は呼び鈴を押す前に、どこかに「犬」のシールが張られていないか、よく確かめるようになった。そして、ドアの前ではしっかりと足を踏ん張って立っている。中から何が飛び出してきても大丈夫なように。

　2級：～だけ・～たとたんに・～ように

読みましょう③　　ダーウィン

7 ～や否や・10 ～を皮切りとして・9 ～を限りに・11 ～をもって

　1859年、イギリスの生物学者ダーウィンは『種の起源』を著した。彼は青年期に5年にわたって未知の大陸や島々への探検旅行をする機会を得たが、その折に発見採取した膨大な数の自然や生命の不思議な現象を、長い年月をかけて考察した末に、進化論に行き着き、この本を著すに至ったのであった。

　この本が出版されるや否や、イギリス国内では生命の起源とその進化をめぐって大論争が巻き起こった。ことに英国キリスト教会は、「神が創造した天地と生命」という聖書の大前提をくつがえすものだとして、彼に激しい非難の言葉を浴びせた。

　しかし、彼の説を支持し、弁護する友人や科学者も多くいた。そして、この本の出版を皮切りとして、それまで宗教の領域にあってタブー視されていた生命を、科学の対象とする研究が相次いで行われるようになった。その結果、生物は環境に適応しつつ進化していく、という新しい説が確立され、古い生命観が崩れていくこととなる。

　彼は、最愛の長女を幼くして亡くしているが、その死が神の意志によるものではなく、自らの学説に従って、自然界の一つの現象であると考えることで、その悲しみを乗り切ったという。そしてその時を限りに、人間の生や死が神の思し召しだとするキリスト教の死生観に決別したとも伝えられている。

　彼は進化論に反対する多くのキリスト教信者の批判にさらされながら、ロンドン郊外の大きな田舎家にこもって終生を研究に捧げ、1882年73歳をもって、その生涯を終えた。

その他の1級：61 ～に至る
2級：～にわたって・～末に・～をめぐって・～つつ・～ながら

第2章
接続的表現

2-1　順接－条件を表す表現
2-2　順接－理由・目的などを表す表現
2-3　逆接

---

12 〜が最後・13 〜ことなしに・14 〜とあれば・
15 〜ともなると／〜ともなれば・16 〜なくして(は)・
17 〜なしに(は)・18 〜ならでは・19 〜こととて・
20 〜ではあるまいし／〜じゃあるまいし・21 〜とあって・22 〜べく・
23 〜ゆえ(に)／〜ゆえの・24 〜たところで・25 〜であれ・
26 〜といえども・27 〜と思いきや・28 〜ところを・
29 〜としたところで／〜としたって／〜にしたところで／〜にしたって・
30 〜とはいえ・31 〜ながらも・32 〜ものを・
33 〜(よ)うが／〜(よ)うと

2-1 順接－条件を表す表現

12 ～が最後

> **意味** いったん～たらそのまま・いったん～たら必ず
> 後ろには、必ずそうなるという状況や、話し手の意志を表す文がくる。
>
> **接続** ［動－た形］＋が最後

① うちの息子は寝入ったが最後、雷が鳴ろうが地震が起ころうが、絶対に目を覚まさない。
② 課長はカラオケが大好きで、マイクを握ったが最後、だれにも渡さない。
③ ここで出会ったが最後、いい返事をもらうまでは帰さないぞ。

▶ **参考**　「～たら最後」〈いったん～たら必ず〉

13 ～ことなしに 固

> **意味** ～（し）ないで
> 「Aすることなしに、Bできない」の形をとる時は、Aの動作をしないでは、Bの可能性はないという内容を表す。
>
> **接続** ［動－辞書形］＋ことなしに

① よいお返事をいただくことなしに、帰るわけにはまいりません。
② 担当教師の許可を得ることなしに、履修科目の変更はできない。

⌛ **類語**　17 ～なしに（は）

14 ～とあれば

> **意味** ～なら・～たら　普通とは違う特別な状況が条件になっていることを表す。
> 後ろには、その状況の時に当然起こると予想される状況や行動を表す文がくる。
>
> **接続** ［動・い形・な形・名］の普通形＋とあれば
> ただし、［な形］と［名］の「だ」はつかないことが多い。

① 遠来の客が来るとあれば、腕をふるってご馳走を用意しよう。
② だれも行かないとあれば、わたしが行くしかないだろう。
③ 体が大きく、足腰が強いとあれば、ラグビー選手にはうってつけだ。
④ 家賃が安く、日当たりがよくて、その上静か（だ）とあれば、少々古いアパートでも借り手はあるだろう。
⑤ 子供のためとあれば、親は何をおいても、できる限りのことをするものです。

▶ **参考**　「～とあっては」〈～（という特別な状況である）なら〉
・お世話になった田中さんの頼みとあっては、断るわけにはいかないだろう。

15 〜ともなると／〜ともなれば

> **意味** 〜になると／〜になれば
> そのような状況・立場になった場合は、という条件を表す。
> 後ろには、当然そのようになるという状況や判断を表す内容がくる。
>
> **接続** [動－辞書形] ／ [名] ＋ともなると／ともなれば

① 急に外国へ行くともなると、準備が大変でしょう。
② 12月ともなると、街にはジングルベルのメロディーが溢れます。
③ 一人前の大人ともなれば、自分の言動に責任を持たなければなりません。

16 〜なくして(は) 固

> **意味** 〜なしでは・〜がなければ
> 仮定の表現。後ろには、〜がなければ何かをするのが難しいという内容がくる。
>
> **接続** [名]＋なくして(は)

① 人々の信頼なくして、リーダーの務めは果たせない。
② 監督の熱心な指導なくしては、今回の優勝はなかっただろう。

17 〜なしに(は)

> **意味** 〜をしないで・〜がないままで
> 前には、当然するべきことや、あるべきものを表す内容の語がくる。
>
> **接続** [名]＋なしに(は)

① ノックなしにわたしの部屋に入らないでください。
② きちんとした手続きなしには入学することはできない。

注意 名詞の前に「何の」がつくと、「何の＋[名]＋もなしに」の形になる。
〈全く〜しないで〉
・彼は何の連絡もなしに、会社を3日も休んでいる。

類語 13 〜ことなしに

12

1．次の文の（　）に最も適当なものをa～cの中から選びなさい。

1）社長に（　　）が最後、この会社での昇進は望めない。
　　a．逆らう　　　　　　b．逆らった　　　　　　c．逆らって

2）現金の入った財布は落としたが最後、（　　）だろう。
　　a．すぐに見つかる　　b．もう出てこない　　c．警察に届ける

2．次の文の＿＿＿に適当な言葉を入れなさい。

1）そのゲームはいったん＿＿＿＿＿＿＿が最後、面白くて、なかなかやめられない。

2）わたしはスナック菓子が大好きで、一口＿＿＿＿＿＿＿が最後、止まらなくなる。

3）こんな名画はいったん手放したが最後、再び＿＿＿＿＿＿＿のは大変なことです。

13

次の文の（　）に最も適当なものをa～eの中から選びなさい。

> a．成功を望むことはできない。　　b．家族のために働いている。
> c．一人で外国へ旅立って行った。　d．あり得なかっただろう。
> e．無念の一生を終えた。

1）今回の優勝は、チームが団結することなしには（　　）

2）わたしの母は毎日休むことなしに、せっせと（　　）

3）人生は努力することなしには、（　　）

4）その詩人は作品を認められることなしに病に倒れ（　　）

5）彼はみんなに別れを告げることなしに（　　）

14

1．次の文の（　）に最も適当なものをa～cの中から選びなさい。

1）今日中にこの仕事を仕上げなければならないとあれば、残業も（　　）。
　　a．やむを得ないだろう　　b．できないことだろう　　c．したくないだろう

2）まずいうえに（　　）とあれば、客が来ないのも無理はないと思う。
　　a．高い　　　　　　　b．高く　　　　　　　c．高くて

2．次の文の＿＿＿に適当な言葉を入れなさい。

1）親は＿＿＿＿＿＿＿とあれば、どんな苦労もいとわないものです。

2）大切なお客様のご要望とあれば、当店はどんな＿＿＿＿＿＿＿。

3）その薬で＿＿＿＿＿＿＿とあれば、どんなに高くても手に入れたい。

15

1．次の文の（　）に最も適当なものをa～cの中から選びなさい。

| a．社会人 | b．受験生 | c．主婦 |

1）（　　　）ともなると、勉強が気になり、遊んでばかりはいられない。
2）（　　　）ともなれば、家事や育児で、なかなか自分の時間が持てない。
3）（　　　）ともなると、服装や言葉遣いにも気をつけなければならない。

2．次の文の＿＿＿に適当な言葉を入れなさい。

1）＿＿＿＿＿＿＿＿＿ともなると、入学金やら授業料やらとずいぶんお金がかかる。
2）＿＿＿＿＿＿＿＿＿ともなれば、家族連れで山や海に出かける人が多い。

16

1．次の文の（　）に最も適当なものをa～cの中から選びなさい。

1）社員の団結なくしては、この不景気を（　　　）だろう。
　　a．乗り越えるべき　　b．乗り越えられる　　c．乗り越えられない
2）希望なくしては（　　　）。
　　a．失望してしまった　　b．生きてはいけない　　c．頑張らなければならない
3）彼の（　　　）なくしては、今度の成功はまずあり得なかったと思う。
　　a．助け　　　　　　b．助ける　　　　　　c．助けて

2．次の文の＿＿＿に適当な言葉を入れなさい。

1）毎日の厳しい＿＿＿＿＿＿＿＿なくして、今日の勝利はなかったと思う。
2）現代社会においては、強力なリーダーシップなくして、企業の＿＿＿＿＿＿＿＿は考えられない。

17

1．次の文の（　）に最も適当なものをa～cの中から選びなさい。

1）周りの人々の協力なしには、この偉業は（　　　）だろう。
　　a．成し遂げるべき　　b．成し遂げられた　　c．成し遂げられなかった
2）（　　　）なしに他人の部屋に入るなんて、本当に失礼な人ですね。
　　a．断り　　　　　　b．断れ　　　　　　c．断る

2．次の文の＿＿＿に適当な言葉を入れなさい。

1）パスポートなしには＿＿＿＿＿＿＿＿はできません。
2）このスポーツクラブは面倒な＿＿＿＿＿＿＿＿なしに、すぐに入会できます。
3）どんな天才も、日々の努力なしには＿＿＿＿＿＿＿＿。

18 〜ならでは

> **意味** 〜だけにある・〜だけができる
> よい内容を表すことが多い。「A ならでは B ない」の形をとると、「A でなければ B できない、A だけが(だから)B できる」の意味。
>
> **接続** ［名］＋ならでは

① こんな新しい発想はあのデザイナーならではのものです。
② この味はおふくろの手作りならでは出せない味だ。

2-2　順接－理由・目的などを表す表現

19　〜こととて　固

> **意味** 〜ので　原因・理由を表す。言い訳や謝罪の理由として用いることが多い。
>
> **接続** ［動・い形・な形・名］の名詞修飾型＋こととて
> ただし、動詞ない形に続く「〜ない」は「〜ぬ」になることもある。

① 何も知らぬこととて、失礼をいたしました。
② 引っ越してきたばかりで、辺りの様子もわからないこととて、どうぞよろしくお願いいたします。
③ 店が狭いこととて、お客様には窮屈な思いをさせて申し訳ございませんでした。
④ 今回の転勤は急なこととて、ゆっくりご挨拶にも伺えませんでした。
⑤ 何分にも若い二人のこととて、皆様のご指導をよろしくお願い申し上げます。

20　〜ではあるまいし／〜じゃあるまいし

> **意味** 〜ではないのだから　理由を表す。
>
> **接続** ［動－辞書形／た形］＋の／ん ＋ではあるまいし／じゃあるまいし
> ［名］

① 冬山登山をするのではあるまいし、そんな大げさな格好は要りません。
② 子供ではあるまいし、暗い所が怖いなんて、おかしいですね。
③ 幽霊が現れたんじゃあるまいし、そんな驚いた顔をするなよ。

注意　「〜じゃあるまいし」はくだけた言い方。
参考　「〜わけではあるまいし／〜わけじゃあるまいし」〈〜という理由ではないのだから。〉

21　～とあって

> **意味** ～ので　　普通とは違う特別な状況が理由になっていることを表す。
> **接続** ［動・い形・な形・名］の普通形＋とあって
> 　　　　ただし、［な形］と［名］の「だ」はつかないことが多い。

① 人気スターがやって来る<u>とあって</u>、空港には大勢の人たちが待ち受けていた。
② このホテルは交通の便がいい<u>とあって</u>、ビジネスマンの出張によく使われている。
③ そのクイズは賞品が豪華(だ)<u>とあって</u>、応募が殺到している。
④ 開店セール<u>とあって</u>、店内は押すな押すなのにぎわいだった。

▶**参考**　「～とあっては」（14 ～とあれば▶参考）

22　～べく

> **意味** ～ようと思って　　目的を表す。
> **接続** ［動－辞書形］＋べく
> 　　　　「するべく」は「すべく」となることもある。

① 恩師に会う<u>べく</u>、久しぶりに母校を訪れた。
② 試験に合格す<u>べく</u>、皆一生懸命に勉強している。

▶**参考**　1 「～べくして～た」
　　　　〈「当然予想されていたことが実際にそうなった。」の意。同じ動詞を2度繰り返す。〉
　　　　・車のブレーキに欠陥があったことを会社側は公表していなかった。この事故は起こる<u>べくして起こった</u>のだ。
　　　2 「～べくもない」〈「～することはとてもできない」の意。〉
　　　　・こんなに予算が削られては、新しい事業の成功は望む<u>べくもない</u>。

第2章 練習 18-20

18
次の文の（　）に最も適当なものをa～jの中から選びなさい。

| a．スキー | b．一流選手 | c．コンビニ | d．水泳 | e．日本 |
| f．若者 | g．大人 | h．スノーボード | i．老舗(しにせ) | j．東京 |

1）すしやてんぷら、すきやきなどは（　　　）ならではの食べ物だ。
2）（　　　）に（　　　）といえば、冬の季節ならではのスポーツだ。
3）このような新しい発想は、まさに（　　　）ならではのものだろう。
4）その店の味には、さすが創業(そうぎょう)100年の（　　　）ならではの伝統が感じられる。
5）プレッシャーにも負けずファンの期待に応(こた)えるとは（　　　）ならではですね。

19
1．次の文の（　）に最も適当なものa～cの中から選びなさい。
1）その件につきましては調査中のこととて、今しばらく（　　　）。
　　a．お待ちしましょうか　b．お待ちになりますか　c．お待ちいただけませんか
2）店の者が（　　　）こととて、大変ご迷惑(めいわく)をおかけして申し訳ございません。
　　a．不慣(ふな)れだ　　　　b．不慣れな　　　　　c．不慣れで
3）社長のご子息でいらっしゃるとは、（　　　）こととて、失礼いたしました。
　　a．存(ぞん)じ上げず　　　b．存じ上げまい　　　c．存じ上げぬ

2．次の文の＿＿＿に適当な言葉を入れなさい。
1）担当者(たんとうしゃ)が＿＿＿＿＿のこととて、お返事が遅れ、誠(まこと)に申し訳ございませんでした。
2）会場が＿＿＿＿＿こととて、大勢(おおぜい)のお客様に入っていただくことができません。
3）何分(なにぶん)子供のしたこととて、どうか＿＿＿＿＿ください。

20
1．次の文の＿＿＿の意味に最も近いものをa～cの中から選びなさい。
　　<u>機械ではあるまいし</u>、夜も寝ないで働けるわけがない。
　　a．機械はあるけれども　b．機械がないので　　c．機械とは違うので

2．次の文の（　）に最も適当なものをa～cの中から選びなさい。
1）海外に（　　　）じゃあるまいし、そんな大きいスーツケースは要らないよ。
　　a．行ったら　　　　　b．行くん　　　　　　c．行って
2）（　　　）じゃあるまいし、一日中寝ているわけにはいかない。
　　a．病人だ　　　　　　b．病人の　　　　　　c．病人
3）数学の専門家ではあるまいし、わたしにこんな難しい問題が（　　　）。
　　a．解(と)けるわけがない　b．解けるかもしれない　c．解けないので困る

21

1．次の文の（　）に最も適当なものをa～cの中から選びなさい。

1）この夏は猛暑とあって、ビールの売り上げ高は（　　　）。
　　a．たいしたことはない　　b．うなぎのぼりだ　　c．落ち込む一方だ

2）駅前にできたマンションは買い物にも（　　　）とあって、すぐに完売になった。
　　a．便利な　　　　　　　b．便利だ　　　　　　c．便利で

3）無事だという知らせが（　　　）とあって、みんなほっとした様子だった。
　　a．届いた　　　　　　　b．届いて　　　　　　c．届けば

2．次の文の＿＿＿に適当な言葉を入れなさい。

1）大勢の前で＿＿＿＿＿＿＿とあって、やはり彼も緊張しているようだ。

2）あの店のラーメンは安くて＿＿＿＿＿＿＿とあって、いつも行列ができている。

22

1．次の文の（　）に最も適当なものをa～cの中から選びなさい。

1）10年ぶりに友人と（　　　）べく、約束の場所へと向かった。
　　a．再会す　　　　　　　b．再会し　　　　　　c．再会

2）問題の（　　　）べく、人々の絶え間ない努力が続いている。
　　a．解決を願う　　　　　b．解決を阻止する　　　c．解決を図る

3）息子が本当にそんなことをしたのか確かめるべく、わたしは（　　　）。
　　a．真実がわかった　　　b．何も知らなかった　　c．息子を問い詰めた

2．次の文の＿＿＿に適当な言葉を入れなさい。

1）わたしの父は体力の衰えを防ぐべく、毎日＿＿＿＿＿＿＿に励んでいる。

2）双方の誤解を＿＿＿＿＿＿＿べく、話し合いが行われた。

3）これだけ証拠がそろっては、彼が＿＿＿＿＿＿＿ことは疑うべくもない。

23　～ゆえ(に)／～ゆえの

意味　～のために・～だから
原因、理由を表す。文語体。

接続　［動・い形・な形・名］の名詞修飾型＋ { ゆえ(に)＋［動・形・副］ / ゆえの＋［名］ }
ただし、［な形］の「な」、［名］の「の」はつかないことが多い。

① 動かぬ証拠があるゆえ(に)、有罪が確定した。
② 多くの子供たちが餓死したという悲惨な出来事は、貧しさゆえの悲劇だった。

注意　1 「～がゆえ(に)／～がゆえの」という形で使われることもある。
・問題が重大であるがゆえに、結論を出す前には慎重な調査が必要である。
2 「ゆえに」は接続詞として文頭に使うこともできる。
・我思う。ゆえに我在り。（デカルト）

2-3　逆接

24　～たところで

意味　～ても・～でも
逆接の仮定表現。仮定した内容が無駄なこと、役に立たないこと、予期に反することや結果にあまり影響を及ぼさないことになるという話し手の判断を表す。

接続　［動－た形］＋ところで

① 今さら愚痴を言ったところで、どうにもならない。
② 約束の時間にこんなに遅れては、行ってみたところで、だれもいないだろう。
③ 今回参加できなかったところで、また次回にチャンスがあるだろう。

25　～であれ

意味　～でも・～であっても

接続　［名］＋であれ
「何」「だれ」「どこ」などの疑問詞と共に用いることもある。

① たとえ国王であれ、国民すべてを従わせることができるわけではない。
② どんな金持ちであれ、この世にはお金で買えないものがある。
③ 何であれ、必要ならば買わなければなるまい。

参考　48 ～であれ～であれ（二語の組み合わせ）

26　～といえども　固

意味　～けれども・～ても・～であっても

文語体の逆接の表現。後ろには、前の内容から当然予想されることと反対の内容を表す文がくることが多い。「いかに～といえども」や「たとえ～といえども」のような形をとると、特別な状況を強調する表現となる。

接続　[動・い形・な形・名] の普通形＋といえども

ただし、[な形] と [名] の「だ」はつかないことが多い。

① 近年、医学がめざましく進歩したといえども、病人の数は減少傾向にはない。
② いかに多忙といえども、健康管理を怠ってはならない。
③ たとえ外国人といえども、「郷に入っては郷に従え」です。

●**慣用**　「老いたりといえども」〈文語体で「年を取っているけれども」の意味。〉
・老いたりといえども、まだまだ若い者には負けないつもりだ。

類語　30 ～とはいえ・★ 2級 ～といっても

27　～と思いきや

意味　～と思ったけれども　結果が思っていた内容に反する時に用いる。

接続　[動・い形・な形・名] の普通形＋と思いきや

ただし、[な形] と [名] の「だ」はつかないこともある。「～かと思いきや」となる場合もある。

① 雪国で育った彼のことだから、さぞかしスキーがうまいだろうと思いきや、滑っては転び、滑っては転びの繰り返しだった。
② 老後は退職金の蓄えで安泰だと思いきや、インフレで預金が目減りしてしまった。
③ Aチームの勝利で試合終了かと思いきや、最後に大逆転が起こった。

28　～ところを

意味　～時(なの)に・～状況(なの)に

相手の状況を配慮する表現として、話の前置きに用いることも多い。

接続
[動－辞書形／た形]
[い形－い]
[な形－な]
[名－の]
　＋ところを

① その試合は、もう少しで終わるところを、雨で中断された。
② お忙しいところをおいでくださいまして、ありがとうございます。
③ お休みのところをお邪魔いたしまして、申し訳ありません。

23

1．次の文の（　）に最も適当なものをa～cの中から選びなさい。

1）長引く不況ゆえ、（　　　）が増加している。
　　a．就職率　　　　　　b．失業者　　　　　　c．生産量

2）人間が（　　　）ゆえに、地球の自然環境が破壊されていくのだろう。
　　a．身勝手な　　　　　b．身勝手で　　　　　c．身勝手だ

3）彼女は（　　　）ゆえに、涙を流しているのです。
　　a．うれしいので　　　b．うれしければ　　　c．うれしいが

2．次の文の＿＿＿に適当な言葉を入れなさい。

1）親は子供を＿＿＿＿＿＿＿ゆえに、時には厳しいことを言うのです。

2）家族のいないあの青年が、友人の家をたびたび訪ねるのは＿＿＿＿＿＿＿ゆえのことだ。

24

1．次の文の＿＿＿の意味に最も近いものをa～cの中から選びなさい。

1）たとえ失敗したところで、またやり直せばいい。
　　a．失敗したばかりでも　　b．失敗しても　　　c．失敗したからには

2）お金があったところで、必ずしも幸せとはかぎらない。
　　a．あっても　　　　　b．あった時は　　　　c．あれば

2．次の文の＿＿＿に適当な言葉を入れなさい。

1）どんなに急いだところで、終電に＿＿＿＿＿＿＿そうもない。

2）いまさらどんなに＿＿＿＿＿＿＿ところで、許してはくれないだろう。

3）いくら頼んだところで、あの人は＿＿＿＿＿＿＿。

25

1．次の文の＿＿＿の意味に最も近いものをa～cの中から選びなさい。

　　たとえ小さな会社であれ、社長であることには変わりはない。

　　a．小さな会社だから、社長は変わらない

　　b．小さな会社でも、社長は会社の代表である

　　c．小さな会社なら、社長は社員と変わりはない

2．次の文の＿＿＿に適当な言葉を入れなさい。

1）どんなに偉い教授であれ、学生の質問に＿＿＿＿＿＿＿こともある。

2）＿＿＿＿＿＿＿であれ、雇ってくれる会社があれば働きたい。

3）いついかなる時であれ、警察官は人々の安全を＿＿＿＿＿＿＿。

26

1．次の文の（　）に最も適当なものをa～cの中から選びなさい。
1）社長といえども、社員のプライバシーに（　　　）。
　　a．責任を負うべきだ　　b．関心を持つべきだ　　c．干渉すべきではない
2）有名大学を（　　　）といえども、最近はいい就職先を見つけるのは難しい。
　　a．卒業した　　　　　　b．卒業して　　　　　　c．卒業しない

2．次の文の＿＿＿に適当な言葉を入れなさい。
1）インスタント食品といえども、多少手を加えれば＿＿＿＿＿＿＿なる。
2）＿＿＿＿＿＿＿といえども、簡単に日本語が教えられるわけではない。
3）いかに漢字が苦手だといえども、日本語を完全にマスターするためには、漢字も＿＿＿＿＿＿＿なければならない。
4）たとえ少年といえども、そんな恐ろしい犯罪を犯したからには＿＿＿＿＿＿＿。

27

1．次の文の（　）に最も適当なものをa～cの中から選びなさい。
1）部屋が静かだったので、息子は勉強しているかと思いきや、なんと（　　　）。
　　a．やはり勉強していた　b．教科書を読んでいた　c．漫画を読みふけっていた
2）赤ん坊が寝ついてやっと（　　　）と思いきや、今度は隣の犬が吠え始めた。
　　a．静かになった　　　　b．静かになれば　　　　c．静かになって

2．次の文の＿＿＿に適当な言葉を入れなさい。
1）父は病気が治って退院したと思いきや、またすぐに＿＿＿＿＿＿＿。
2）あしたから夏休みで、ゆっくり＿＿＿＿＿＿＿思いきや、どっさり宿題が出された。

28

1．次の文の（　）に最も適当なものをa～cの中から選びなさい。
1）もう少しで（　　　）ところを、あせって失敗してしまった。
　　a．完成するだろう　　　b．完成しよう　　　　　c．完成する
2）（　　　）ところをわざわざ来ていただいて、ありがとうございました。
　　a．遠くて　　　　　　　b．遠い　　　　　　　　c．遠かった
3）（　　　）ところをお待たせいたしまして申し訳ございません。
　　a．お急ぎで　　　　　　b．お急ぎな　　　　　　c．お急ぎの

2．次の文の＿＿＿に適当な言葉を入れなさい。
1）すぐにでもお礼に伺うべきところを、＿＿＿＿＿＿＿申し訳ありません。
2）＿＿＿＿＿＿＿ところを、お邪魔してすみませんでした。

29　〜としたところで／〜としたって／〜にしたところで／〜にしたって

> **意味**　〜としても・〜にしても
> 　　人や物事の立場や、事柄の条件、状況を考える時の表現。
> 　　後ろには否定的な内容がくることが多い。
>
> **接続**　［動・い形・な形・名］の普通形＋｛としたところで／としたって／にしたところで／にしたって｝
> 　　ただし、［な形］と［名］の「だ」はつかないことが多い。
> 　　「何」「だれ」「どちら」などの疑問詞と共に用いることもある。

① 全員が参加する<u>としたところで</u>、人数はせいぜい30人位だ。
② 彼がどんなに歌が得意<u>としたって</u>、素人の域を出ていないよ。
③ わたし<u>にしたって</u>、その問題については、どうしたらいいかわからないんです。
④ 電車で行くかバスで行くか、どちら<u>にしたところで</u>、時間は大して変わらないだろう。

注意　「〜としたって／〜にしたって」
類語　24 〜たところで

30　〜とはいえ

> **意味**　〜といっても・〜でも
> 　　「AとはいえB」は「Aは事実だが、しかし実際はB」の意味。
>
> **接続**　［動・い形・な形・名］の普通形＋とはいえ
> 　　ただし、［な形］と［名］の「だ」はつかないことが多い。

① 相手の言い分もわかった<u>とはいえ</u>、心から納得したわけではない。
② 幼い<u>とはいえ</u>、その子は自分の家庭の苦しい事情を理解している。
③ 春<u>とはいえ</u>、まだまだ寒い日が続いております。

注意　「とはいえ」は接続詞として文頭に使うこともできる。
　　・地球温暖化を防止するための国際会議の結果、京都議定書が作成された。
　　<u>とはいえ</u>、すべての国がその基準を守るまでには、まだ年月がかかりそうだ。

類語　26 〜といえども・★2級 〜といっても

31　〜ながらも

> **意味**　〜けれども・〜のに
> **接続**　[動－ます形／ない形－ない]
> 　　　　[い形－い]
> 　　　　[な形－○／(であり)]
> 　　　　[名－(であり)]
> 　　　　　　　　　　　　　　｝＋ながらも
> 　　　末尾の「も」を省略して「〜ながら」の形でも用いる。

① その職人は古い伝統を守り<u>ながらも</u>、新しい工夫を重ねている。
② 「狭い<u>ながらも</u>、楽しい我が家」と言うように、自分の家が一番ですね。
③ 残念<u>ながら</u>、その日はあいにく用事があって、パーティーには出席できません。
④ 最近は小型であり<u>ながら</u>、優れた機能を備えたパソコンが出回っている。

類語　★2級　〜ながら・〜つつ(も)

32　〜ものを

> **意味**　〜のに　　残念な結果に対する話し手の不満や後悔や非難などの気持ちを表す。
> **接続**　[動・い形・な形]の名詞修飾型＋ものを
> 　　　「〜ばいいものを」の形で用いられることも多い。

① 早く言えばいい<u>ものを</u>、何も言わないんだから。
② 機械を使えば簡単な<u>ものを</u>、彼はなぜあんなに手作りにこだわるのだろう。

注意　「〜ものを。」と、後ろの文が省略されることも多い。
　　・僕に連絡してくれれば、迎えに行ってあげた<u>ものを</u>。

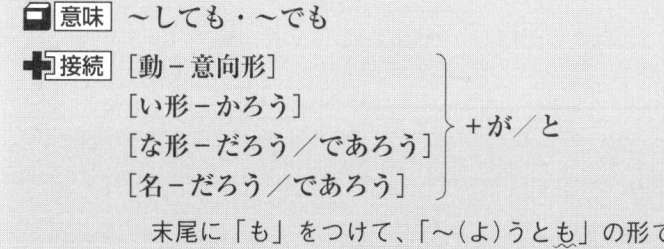

33　〜(よ)うが／〜(よ)うと

> **意味**　〜しても・〜でも
> **接続**　[動－意向形]
> 　　　　[い形－かろう]
> 　　　　[な形－だろう／であろう]
> 　　　　[名－だろう／であろう]
> 　　　　　　　　　　　　　　｝＋が／と
> 　　　末尾に「も」をつけて、「〜(よ)うとも」の形でも用いる。「いかに」「どんなに」
> 　　　「何を」「何と」などの強調の語と共に用いられることが多い。

① 周囲に反対され<u>ようが</u>、自分でやると決めた以上は最後までやりぬくつもりだ。
② どんなに入院費が高かろ<u>うが</u>、支払わざるを得ない。
③ 彼が政治家としていかに有力であろ<u>うと</u>、法を侵したからには、逮捕されるのは当然だ。
④ いかなる困難であろ<u>うとも</u>、努力によって克服できないものはない。

29

1．次の文の（　）に最も適当なものをa～cの中から選びなさい。

1) 実力者の社長にしたところで、すべてのことを一人で処理できる（　　　）。
   a. にちがいない　　　b. とは思えない　　　c. かもしれない

2) 1日50ページ読むとしたって、たった3日間では、この本は（　　　）。
   a. 読みきれないだろう　b. 読めるだろう　　　c. 読んでしまった

3) いくら（　　　）したって、一日中寝てばかりはいられない。
   a. 暇な　　　　　　　b. 暇の　　　　　　　c. 暇に

2．次の文の＿＿＿に適当な言葉を入れなさい。

1) この案に反対している彼にしたって、ほかにいいアイデアがあるとは＿＿＿＿＿＿＿＿。
2) 中小企業だけでなく＿＿＿＿＿＿＿＿としたところで、この不景気ではボーナスはあまり期待できないだろう。

30

1．次の文の（　）に最も適当なものをa～cの中から選びなさい。

1) いくら家賃が（　　　）とはいえ、これほどひどい部屋はほかにはあるまい。
   a. 安くて　　　　　　b. 安い　　　　　　　c. 安ければ

2) 十分（　　　）とはいえ、実行する際には細心の注意が必要である。
   a. 準備している　　　b. 準備すれば　　　　c. 準備したら

3) いくら（　　　）とはいえ、毎日同じ料理を出されては飽きてしまう。
   a. 好きな　　　　　　b. 好きで　　　　　　c. 好き

2．次の文の＿＿＿に適当な言葉を入れなさい。

1) 日曜日とはいえ、仕事がたくさんあって、＿＿＿＿＿＿＿＿。
2) ＿＿＿＿＿＿＿＿とはいえ、子供の将来を勝手に決めることはできない。

31

1．次の文の（　）に最も適当なものをa〜cの中から選びなさい。
1）我が社は中小企業ながらも（　　　）。
　　a．社員が少ない　　　b．経営が安定しない　　c．業績を伸ばしている
2）その家族は（　　　）ながら、心豊かに生きていた。
　　a．貧しく　　　　　　b．貧しかった　　　　　c．貧しい
3）この合併については（　　　）ながらも、相手の意に従わなければならない。
　　a．不本意　　　　　　b．協力的　　　　　　　c．強制的

2．次の文の＿＿＿＿に適当な言葉を入れなさい。
1）あの子はまだ5歳の子供ながらも、＿＿＿＿＿＿＿＿。
2）道に＿＿＿＿＿＿＿＿ながらも、なんとか友人の家を探し出すことができた。

32

次の文の（　）に最も適当なものをa〜cの中から選びなさい。
1）知らずにいれば（　　　）ものを、彼女は事件の真相を知ってしまった。
　　a．幸せだ　　　　　　b．幸せの　　　　　　　c．幸せだった
2）話せば（　　　）ものを。いきなり怒鳴ることはないでしょう。
　　a．わかって　　　　　b．わかる　　　　　　　c．わからない
3）黙っていればいいものを、どうして（　　　）の。
　　a．しゃべらなかった　b．しゃべればいい　　　c．しゃべってしまった
4）温かいうちに（　　　）おいしかったものを。
　　a．食べないと　　　　b．食べれば　　　　　　c．食べたので
5）熱があるなら休めばいいものを、（　　　）。
　　a．出席してよかった　b．欠席されて困った　　c．無理することはなかったのに

33

1．下の□□□の中から言葉を選び、適当な形に変えて文中の＿＿＿＿に書きなさい。

| 安い　　大変　　ある　　来る |

1）彼女はだれが訪ねて＿＿＿＿＿＿＿と、決してドアを開けなかった。
2）結果がどうで＿＿＿＿＿＿＿が、今は精一杯頑張るだけだ。
3）いかに＿＿＿＿＿＿＿と、品質がよくなければ買おうとは思わない。
4）彼は生活がどんなに＿＿＿＿＿＿＿が、一度も弱音を吐いたことがない。

2．次の文の＿＿＿＿に適当な言葉を入れなさい。
1）どんなに勧められようが、そんなに高いものが＿＿＿＿＿＿＿わけがない。
2）人に何と＿＿＿＿＿＿＿と、わたしは気にしない。

第2章　確認問題（12〜33）

次の文の（　　）に最も適当なものをa〜dの中から選びなさい。

1. 家族のため（　　）、どんな苦労もつらくはありません。
   a. とあれば　　b. とはいえ　　c. ならでは　　d. であれ
2. 今さら悔やんで（　　）、過去の過ちを消すことはできない。
   a. みたものを　　b. みたところで　　c. みながらも　　d. みたところを
3. 4年に1度の競技大会に出場する（　　）、選手たちの緊張はかなりのもののようだ。
   a. とともに　　b. といえども　　c. とあって　　d. としたところで
4. 他人がいかに（　　）、彼は全く気にかけたりはしない。
   a. 困ろうが　　b. 困ったところを　　c. 困ることとて　　d. 困りながらも
5. さすがに名の通った武道家。老いたり（　　）気迫十分だ。
   a. とあれば　　b. とあって　　c. といえども　　d. ともなると
6. もう小さな子供（　　）、親がそんなことまで心配する必要はないでしょう。
   a. としたところで　　b. ながらも　　c. とあって　　d. ではあるまいし
7. たとえどんな金持ち（　　）、幸せを金で買うことはできない。
   a. であれ　　b. ゆえに　　c. こそ　　d. ながらも
8. 世の中が便利になったが（　　）失われたものもある。
   a. せいで　　b. ゆえに　　c. こそ　　d. 最後
9. 知らせてくれれば駅まで迎えに行った（　　）、どうして電話をくれなかったんだろう。
   a. ものなら　　b. ものの　　c. ものを　　d. ものだから
10. いくら急いでいる（　　）、あんなにスピードを出しては事故を起こしかねない。
    a. とあれば　　b. からには　　c. ゆえに　　d. とはいえ
11. やっとエンジンがかかった（　　）、走り出したとたんに、また止まってしまった。
    a. そばから　　b. すえに　　c. にしたって　　d. と思いきや
12. 我々の提案に反対している彼（　　）これ以上の案があるわけではない。
    a. ならでは　　b. にしたって　　c. ゆえに　　d. とあって
13. この調理器具は大変便利で、いったん（　　）最後、手放せなくなります。
    a. 使えば　　b. 使うと　　c. 使っては　　d. 使ったが
14. お疲れ（　　）わざわざお越しいただきありがとうございました。
    a. とはいえ　　b. ながらも　　c. のところを　　d. つつも

15. 彼女は夫を亡くし、貧しい（　　　　）、幼い子供たちを心豊かに育てている。
　　　a. もので　　　　b. ものを　　　　c. ながらも　　　　d. ところを
16. この音色はやはり天才ピアニスト（　　　　）素晴らしいものです。
　　　a. ながらも　　　b. といえども　　c. なしには　　　　d. ならではの
17. さすがに社長（　　　　）、いろいろと付き合いも多くなって大変でしょう。
　　　a. ともなると　　b. とはいえ　　　c. としたって　　　d. といえども
18. 人の善意を疑う（　　　　）生きていけるような世の中であってほしいと思う。
　　　a. ゆえに　　　　b. べく　　　　　c. とあれば　　　　d. ことなしに
19. どんなに天才的な科学者であれ、努力（　　　　）素晴らしい発明はあり得ない。
　　　a. ならでは　　　b. なくして　　　c. ことなしに　　　d. ながらも
20. いくら友達といえども、（　　　　）人の部屋に入らないでほしい。
　　　a. 断りなしに　　b. 断りながらも　c. 断りがてら　　　d. 断りつつも
21. 合格したことを両親に知らせる（　　　　）急いで電話をかけた。
　　　a. べき　　　　　b. に先だって　　c. べく　　　　　　d. どころか
22. 単身赴任をした夫は洗濯や料理など、慣れぬ（　　　　）苦労しているようでございます。
　　　a. ところを　　　b. こととて　　　c. ながらも　　　　d. とはいえ

第2章　実戦問題

次の文の（　　）に最も適当なものをa～dの中から選びなさい。

1. 師走（　　）、デパートはさすがに人出が多いようだ。
   a. ともなると　　b. といえども　　c. とあれども　　d. となれども

2. オリンピックの開会式に間に合わせる（　　）、昼夜を問わず競技場の工事が進められた。
   a. ので　　b. ゆえ　　c. から　　d. べく

3. 山田さんは入院中の身（　　）、仕事のことばかり気にしている。
   a. ではあるまいし　　b. にひきかえて　　c. でありながら　　d. にしたところで

4. 世の中には子供を自分の持ち物のように考える親もいるが、子供と（　　）独立した個人としての人権は守られるべきである。
   a. いえども　　b. いえれば　　c. いうなり　　d. いわずに

5. その映画を見た人々は涙を流さずにはいられない。さすが大女優（　　）感動的な演技だ。
   a. ながらも　　b. ならではの　　c. とすれども　　d. とあれば

6. お酒（　　）3日といられなかった父が、最近体のためにぴたりと禁酒した。
   a. なしとは　　b. ないでは　　c. なしには　　d. なくても

7. たとえ新入社員（　　）、自分の仕事には最後まで責任を持ってもらいたい。
   a. ながらも　　b. であれ　　c. ならでは　　d. であると

8. 試合は明日に迫っている。今さらいくら練習（　　）で、結果に大差はないだろう。
   a. するもの　　b. するところ　　c. したもの　　d. したところ

9. 先週引っ越ししたんですか。一言言ってくれれば手伝いに行った（　　）。
   a. はずで　　b. ものを　　c. はずを　　d. もので

10. この部屋は狭い（　　）わたしだけのお城です。
    a. ながらも　　b. ものを　　c. うえに　　d. わけで

11. どんなに後悔した（　　）、やってしまったことはもう元には戻らない。
    a. とあって　　b. ようで　　c. かぎりで　　d. ところで

12. 今回の企画は、莫大な資金を必要とするもので、重役会議の承認を得ることなしには（　　　）。
    a. 進みかねない　　b. 進むをえない　　c. 進められない　　d. 進もうとしない

13. イギリスに３年もいたと聞いたので、さぞ英語が上手だろうと思いきや、（　　　）。
    a. まあまあ話すことができる　　　　b. 片言も話せないらしい
    c. とても上手に話せるらしい　　　　d. 話すのは書くことよりも難しい

14. 今回の万国博覧会では珍しいマンモスの化石が見られる（　　　）、連日大変な込みようだ。
    a. とあって　　b. とるすと　　c. とはいえ　　d. としても

15. 夏休み（　　　）、アルバイトがあるため、毎朝早く起きなければならない。
    a. とあれば　　b. ともなく　　c. としても　　d. とはいえ

16. 親の愛を感じられず、寂しい（　　　）非行に走る子供たちもたくさんいるそうだ。
    a. わけなく　　b. ながらも　　c. がゆえに　　d. ものから

17. （　　　）じゃあるまいし、お客様からの苦情への対応くらい、一人できちんとやってもらいたいね。
    a. 新入社員　　b. 社長　　c. 会社員　　d. 新入生

18. 先週帰国したが、急なこととて、あちらでお世話になった方々に（　　　）。
    a. お礼を申し上げた　　　　b. ご挨拶する時間もなかった
    c. ぜひお会いしたかった　　d. 空港まで見送っていただいた

19. 大切な友達のため（　　　）、ぜひとも協力したいと思います。
    a. ならでは　　b. とすれば　　c. とあれば　　d. ながらも

20. 親が何と（　　　）と、自分の将来は自分で決めるつもりだ。
    a. 言おう　　b. 言った　　c. 言う　　d. 言われる

21. 彼女にそれを（　　　）最後、明日には会社中に知れ渡ってしまうに違いない。
    a. 話すが　　b. 話したが　　c. 話すと　　d. 話せば

22. 携帯電話の普及率はめざましい。今や携帯電話（　　　）、１日も暮らせないという若者たちもいるくらいだ。
    a. ゆえに　　b. ならでは　　c. をよそに　　d. なくしては

その機能語が出題された年度

【1998】1. 2. 3. 4. 5. 6.　【1999】7. 8. 9. 10. 11. 12. 13.
【2001】14. 15. 16. 17. 18. 19. 20.　【2002】21.　【2003】22.

読みましょう④　　ねぶた祭り

22 ～べく・16 ～なくしては・21 ～とあって・25 ～であれ～であれ・12 ～が最後・
26 ～といえども・31 ～ながらも

　東北地方の夏の風物詩の一つに「ねぶた祭り」がある。「ねぶた」というのは、竹や木を組んで型を作り、その上に武者絵や役者絵などを描いた極彩色の画紙を張った巨大な像のことである。その制作には、学校や会社などの団体ごとに、ねぶた師と呼ばれる専門の職人があたるが、毎年行われるコンクールで「ねぶた大賞」を獲得すべく、制作にさまざまな工夫をこらすという。それを山車に乗せて引き回し、周囲を「ハネト」と呼ばれる踊り手が、はやしのリズムに乗って文字通り跳ね踊るのである。この「ねぶた祭り」なくしては東北の夏を語ることができないというくらい、盛大でにぎやかな祭りである。

　今年は職場の仲間に誘われて、ねぶた祭り見物に出かけた。全国から何万人もの人々が見物に押し寄せたとあって、青森の街は熱気に溢れていた。内側に灯りを入れた光り輝く華麗なねぶたが、夜の街を行き交っていた。

　あちこち見て回るうちに、みんなでハネトになって、祭りを大いに楽しもうじゃないか、ということになった。ハネトの衣装は観光客でも簡単に借りられるのだ。浴衣姿で腰にたくさんの鈴をつけ、ハネトの衣装を着たからには、地元の人間であれ、観光客であれ、立派な祭りの担い手である。見よう見まねで踊りの輪に入ったが、これがなかなか面白い。跳ね始めたが最後、いつまでもやめられない。夜半になって、ようやく宿に引き上げた。

　翌日、駅へ向かう道、仲間は皆足を引きずりながら歩いているが、最年長の山田さんだけは平気な顔ですたすた歩いて行く。山田さんいわく、

　「日頃からトレーニングで足腰鍛えているからね。老いたりといえども若い者に負けはせんよ。」

　帰りの列車の中、わたしは筋肉痛の足をさすりながらも、東北の夏の祭りを堪能した満足感でいっぱいだった。トレーニングを積んで、来年もまた跳ねに来よう！

　2級：～くらい・～うちに・～うじゃないか・
　　　　～からには

読みましょう⑤　　草喰(そうじき)

20 〜じゃあるまいし・14 〜とあれば・30 〜とはいえ・28 〜ところを・
19 〜こととて・17 〜なしには・18 〜ならでは

　旅行雑誌をぱらぱらめくっていたら、1枚のグラビア写真に目がとまった。料理屋の看板(かんばん)に「草喰　中田亭(なかたてい)」とある。
　「なに、草を喰(は)む？　羊や山羊(やぎ)じゃあるまいし、一体(いったい)どんな料理を食べさせる店なんだろう。」
　食べ歩きの好きなわたしとしては、なんだか気になる。電話を入れてみると、1か月先(さき)まで予約が入っているという。ますます気になる。が、予約でいっぱいとあれば仕方がない。順番を待つほかない。
　待つこと1か月余り、妻と連れ立(だ)ってその店へ出かけたのは、秋も半(なか)ばのことだった。まだ10月とはいえ、夜はすでに冷え込みが始まっている。閑静(かんせい)な通りに、写真に見た「草喰」の看板と白い暖簾(のれん)が出ていた。簡素な、いい感じの店構(みせがま)えである。
　暖簾をくぐって中へ入ると、和服姿のおかみさんが迎えてくれた。
　「遠いところをよくお越しくださいました。」
　「1か月待って、やっと来られたよ。」
　「何分(なにぶん)にも小さい店のこととて、申し訳ございません。今日はごゆっくりおくつろぎくださいませ。」
　この店で供(きょう)される有機野菜は、ご主人が早朝に郊外の契約農家(けいやくのうか)の畑へ出かけて行って、吟味(ぎんみ)したものを仕入れてくるのだそうだ。最近の野菜は農薬なしには栽培(さいばい)できないのではないかと思っていたが、ここでは、本物(ほんもの)の野菜ならではの味が楽しめそうだ。その時期の味を最高に引き出すために、調理法(ちょうりほう)にも工夫(くふう)を重(かさ)ねているという。
　一つ一つの野菜の味を確かめながらゆっくりかみしめていると、なんだか草食(そうしょく)動物になったような優しい気持ちになってくる。傍(かたわ)らの妻(つま)がわたしの顔を見て、
　「まるで羊さんみたいね。」
と、小さく笑った。

　2級：〜としては・〜ほかない・〜ような

読みましょう⑥　　春うらら

29 〜にしたところで・32 〜ものを・27 〜と思いきや・23 〜ゆえの・
15 〜ともなると・13 〜ことなしに

　わたしは留学生のジェーン。昨年から日本人家庭にホームステイをしている。先日、ホームステイ先のママから、とても楽しい俳句の会があるので、一緒に行こうと誘われた。

　「はい」と、返事はしたものの、だんだん心配になってきた。俳句については五七五の短い詩という以外ほとんど知らない。先生の説明を聞いて作るにしたところで、五、七、五と指折り数えるのがやっとで、俳句の会を楽しむことなんて、とても無理だろう。ああ、あの時はっきりと断っておけばよかったものを……。

　思い悩んでいるうちに、その日がやってきた。高名な俳句の先生と聞いていたので、さぞ難しいお話をされると思いきや、わたしにも十分わかるように、やさしく俳句の魅力を語ってくださった。

　「俳句では、季語といって、その季節ならではの風物を一つ入れます。その季語と他の言葉がお互いに影響し合って、一つの詩の世界を作り上げていくのです。自然の景色をよおく観察して、目に見、耳に聞き、肌に感じたその一瞬の感動を、素直に17文字に表してください。一見不自由なようですが、かえって短い形式ゆえの面白さを発見できるでしょう。今日のように暖かく、穏やかな日には「春うらら」・「うららかや」・「日永」などの季語がぴったりですよ。」

　先生のお話に勇気付けられて、小さな川に沿って散策しながら、辺りの景色をよく見る。流れに笹舟を浮かべてみる。わたしが歩くのに合わせるように、笹舟は流れていく。

　「春うらら、春うらら……あ！『春うらら　歩く速さに　川は流れる！』ママ、どうでしょう。」

　「ジェーン、すごい！よく気がついたわね。さすがに日本語上級クラスの学生ともなると、実力十分ね。でも「川は流れる」が字余りだから、「流れかな」ってしたら？」

　「ああ、そうですね。『春うらら　歩く速さの　流れかな』……できた！」

　わたしの国には「何事も経験することなしに語ることはできない」ということわざがある。今日はママに誘っていただいたおかげで、俳句作りという経験を通じて、日本の伝統文学の奥底を流れる心に、ほんの少し触れることができたような気がする。

その他の1級：18 〜ならでは
2級：〜ものの・〜なんて・〜うちに・〜ように・〜に沿って・〜おかげで・〜を通じて

第3章
事柄・動作・作用などの関係を表す表現

3-1 後(あと)にくる状況との関係を表す表現
3-2 複数の事柄を比較対照(ひかくたいしょう)して状況を表す表現
3-3 二つの語を組にして用いる表現

---

34 〜いかん・
35 〜いかんによらず／〜いかんにかかわらず／〜いかんを問(と)わず・
36 〜と相(あい)まって・37 〜にかかわる・38 〜をものともせずに・
39 〜をよそに・40 ただ〜のみならず・41 〜ないまでも・
42 〜にひきかえ・43 〜にもまして・44 〜はおろか・
45 ひとり〜だけでなく／ひとり〜のみならず・46 〜もさることながら・
47 〜つ〜つ・48 〜であれ〜であれ・49 〜といい〜といい・
50 〜なり〜なり・51 〜(よ)うが〜まいが／〜(よ)うと〜まいと・
52 〜(よ)うにも〜ない

3-1 後(あと)にくる状況との関係を表す表現

34 〜いかん 固

意味 〜がどのようであるか・〜によって・〜次第(しだい)で
接続 ［名(-の)］+いかん

① 会社の発展は、社員の働きいかんにかかっている。
② 試験の結果のいかんでは、卒業できないこともある。

● 慣用 1「いかんともしがたい」

〈残念だがどうにもできない〉

・助けてやりたい気持ちはやまやまだが、わたしの力ではいかんともしがたい。

2「いかんせん」

〈残念だが（どうにもしようがない）〉

・新しいパソコンを購入(こうにゅう)したいのだが、いかんせん予算がない。

35 〜いかんによらず／〜いかんにかかわらず／〜いかんを問(と)わず 固

意味 〜がどのようであるかに関係なく
接続 ［名-の］+いかんによらず／いかんにかかわらず／いかんを問わず

① 理由のいかんによらず、殺人は許されないことだ。
② 国民の賛意のいかんにかかわらず、その法案は国会で可決されるだろう。
③ 年齢、国籍(こくせき)のいかんを問わず、採用試験を受けることのできる自治体(じちたい)が増えている。

36 〜と相(あい)まって

意味 〜と一緒(いっしょ)になって
「AとB(と)が相まって」の形で用いられることも多い。AとBとが一緒に作用して、一層(いっそう)その状態が進む、あるいは効果が出ていることを表す。
接続 ［名］+と相まって

① 多くの国々では、水や空気の汚染(おせん)と相まって、環境(かんきょう)破壊(はかい)が進んでいる。
② コーチの指導力と選手のやる気が相まって、優勝できた。
③ 実力と運とが相まって、彼を成功に導(みちび)いた。

37 〜にかかわる

意味 〜に影響を及ぼす
「〜」の部分には、大切なことや重大な内容がくることが多い。

接続 ［名］＋にかかわる

① 彼は交通事故にあって、命にかかわる大けがをしたそうだ。
② 負ければ大国の威信にかかわるとあって、無意味な戦いが続けられた。

注意 単に「〜に関係する」の意味で用いることも多い。
・将来は資格を取って、福祉にかかわる仕事に就きたいと思っている。

38 〜をものともせずに

意味 〜を問題にしないで
困難や障害になるようなものを乗り越えて何かを行うことを表す。普通、話し手以外のことについて述べる時に用いる。

接続 ［名］＋をものともせずに
末尾の「に」を省いて「〜をものともせず、」の形でも用いる。

① 度重なるロケット発射の失敗をものともせずに、宇宙開発計画が進められている。
② 救援隊は山崩れの危険をものともせず、生き埋めになった人たちの捜索を続けた。
③ 営業会議での多くの社員からの反対をものともせず、部長は自分の方針を貫き通した。

39 〜をよそに

意味 〜を気にしないで・〜をかえりみないで・〜を関係ないものとして

接続 ［名］＋をよそに

① 入学試験が迫っているが、周囲の心配をよそに、本人はのん気に構えている。
② 住民の不安をよそに、原子力発電所の建設工事が始まった。
③ 高速道路では、車の渋滞をよそに、バイクがその脇をすいすいと進んで行く。

34

1．次の文の（　）に最も適当なものをa～cの中から選びなさい。

1）話し合いの（　　　）では、結論は明日に持ち越されるかもしれない。
　　a．成り行きいかん　　　b．成り行きでいかん　　　c．成り行きといかん

2）（　　　）よっては旅行の日程を変更することもあり得る。
　　a．天候でいかんに　　　b．天候がいかんに　　　c．天候のいかんに

2．次の文の（　）に最も適当なものを下のa～cの中から選びなさい。

　　　　　a．いかん　　　b．いかんともしがたい　　　c．いかんせん

1）どんなに頭を下げて頼まれても、これだけは（　　　）。
2）休暇をとって旅行したいのだが、（　　　）忙しくて休めそうもない。
3）入学を許可されるかどうかは、面接の態度（　　　）です。

35

1．次の文の（　）に最も適当なものをa～cの中から選びなさい。

1）天候の（　　　）、予定通り出発します。
　　a．いかんをよらず　　　b．いかんに問わず　　　c．いかんにかかわらず

2）理由の（　　　）よらず、遅刻は認められない。
　　a．いかんに　　　b．いかんを　　　c．いかんで

3）このイベントには年齢のいかんを問わず、だれでも（　　　）。
　　a．参加しない　　　b．参加できる　　　c．参加できない

2．次の文の＿＿＿に適当な言葉を入れなさい。

1）この会社は＿＿＿＿＿＿＿いかんを問わず、能力次第で給料が決まる。
2）値段のいかんにかかわらず、我が子からのプレゼントは＿＿＿＿＿＿＿ものだ。

36

1．次の文の＿＿＿の意味に最も近いものをa～cの中から選びなさい。

　　その曲は、ピアノの美しい旋律と歌い手の透き通るような声が相まって、聴いている人々に一層の感動を与えた。
　　a．はっきりして　　　b．調和して　　　c．相反して

2．次の文の＿＿＿に適当な言葉を入れなさい。

1）その国は、国民の努力と国の＿＿＿＿＿＿＿とが相まって、急速な発展を遂げた。
2）強風と＿＿＿＿＿＿＿が相まって、今回の台風の被害は予想以上のものとなった。
3）情報処理の多様化とインターネットの普及とが相まって、世界中のニュースがより早く＿＿＿＿＿＿＿ようになった。

37

1．次の文の（　）に最も適当なものをa～cの中から選び、＿＿＿に適当な助詞を入れなさい。

1）日頃の災害に対する備えは（　　　）＿＿＿かかわる大切なことです。
　　a．けが　　　　　　　b．健康　　　　　　　c．生命

2）これは明らかにこの事件の真相＿＿＿かかわる（　　　）だ。
　　a．重大な証拠　　　　b．平凡な話　　　　　c．無駄な意見

2．次の文の＿＿＿に適当な言葉を入れなさい。

1）オゾン層の破壊は地球の＿＿＿＿＿＿＿＿かかわる一大事です。

2）毎日、規則正しく栄養のある食事をとることは＿＿＿＿＿＿＿＿大きくかかわっている。

38

1．次の文の＿＿＿の意味に最も近いものをa～cの中から選びなさい。
　　彼は中傷や非難などをものともせずに、自分の信念を貫いた。
　　a．中傷や非難などをされないように
　　b．中傷や非難など気にしながらも
　　c．中傷や非難をされても気にしないで

2．次の文の（　）に最も適当なものをa～cの中から選びなさい。

1）その競走馬はほかの馬の追い上げをものともせずに、（　　　）。
　　a．優勝した　　　　b．負けてしまった　　c．追い越された

2）その登山家は（　　）をものともせず、世界記録への挑戦を試みた。
　　a．危ない　　　　　b．危険　　　　　　　c．危く

39

1．次の文の（　）に最も適当なものをa～cの中から選びなさい。

1）親の心配をよそに、子供は（　　　）している。
　　a．勉強ばかり　　　b．勝手なことばかり　c．掃除ばかり

2）周囲の反対をよそに、彼はその無謀な計画を（　　　）。
　　a．実行しようとした　b．邪魔された　　　c．あきらめた

3）同僚の（　　）をよそに、彼はいつも会社に遅刻して来る。
　　a．賛成　　　　　　b．忠告　　　　　　　c．同情

2．次の文の＿＿＿に適当な言葉を入れなさい。

1）日本語能力試験まであと1か月だというのに、教師の心配をよそに、学生たちは＿＿＿＿＿＿＿＿。

2）消費者の＿＿＿＿＿＿＿＿をよそに、消費税の税率アップが決定された。

3-2　複数の事柄を比較対照して状況を表す表現

40　ただ〜のみならず

> **意味**　〜だけではなく
> 「AのみならずB（まで）（も）」の形でも用い、「ただ」がつくと、より強調する表現となる。A、Bには対照的、並立的あるいは類似の内容がくる。文語体。
>
> **接続**　ただ＋［動・い形・な形・名］の普通形＋のみならず
> ただし、［な形］の「だ」は「である」になる。
> ［名］の「だ」はつかないか、「である」になる。

① 彼女は、倒れていた老人をただ介抱したのみならず、家まで送り届けたそうだ。
② 富士山はただ高いのみならず、姿も美しいので、日本の象徴として愛されている。
③ 彼はただ勇敢であるのみならず、優しい心の持ち主でもある。
④ 彼女はただ友人たちのみならず、先生方からも信頼されている。

▶ **参考**　74 ただ〜のみ（強調）

▶ **類語**　45 ひとり〜だけでなく／ひとり〜のみならず・★2級　〜のみならず

41　〜ないまでも

> **意味**　〜ないにしても・〜ないとしても
> 普通「AないまでもBする」の形で用い、Aの方に程度が高い内容がくる。
>
> **接続**　［動−ない形］＋ないまでも
> 「〜とは言わないまでも」や「〜とは言えないまでも」の形で用いることも多い。
> 「〜の程度でないにしても、せめて（後ろの内容）くらいは」の意味。

① 彼が犯人だと断定できないまでも、いろいろと怪しいところがある。
② 結婚式には出席できないまでも、お祝いの電報くらいは打とう。
③ 毎日とは言わないまでも、せめて1週間に1回程度は運動した方がいいだろう。

42　〜にひきかえ

> **意味**　〜に比べると反対に
>
> **接続**　［動・い形・な形］の名詞修飾型＋の ｝＋にひきかえ
> 　　　　［名］
> ［名］と［な形］は「〜である＋の」の形をとることもある。

① 先月は食料品の売り上げが著しく伸びたのにひきかえ、衣料品の売り上げが落ち込んだ。
② 前回の作品にひきかえ、今回のは素晴らしいできだ。
③ 去年の夏が猛暑であったのにひきかえ、今年は冷夏が心配されている。

43　～にもまして　固

- **意味** ～よりもさらに　「AにもましてB」は「Aもそうだが、それ以上にB」の意味。
- **接続** [動・い形・な形]の名詞修飾型＋の ｝＋にもまして
  [名]
  [な形]は「～である＋の」の形をとることもある。

① 試合に勝ったのにもまして、全力を出しきれたことを誇りに思う。
② 通訳の試験に合格し、うれしいのにもまして、今は果たしてうまくやれるか心配だ。
③ 以前にもまして、彼女はピアノの練習に励んでいます。

!!注意　「何」「だれ」「いつ」などの疑問詞と共に用いられることもある。
・台風の夜に友人が駆けつけてくれたのは、何にもまして心強いことだった。

44　～はおろか　固

- **意味** ～はもちろん
  「AはおろかBも／さえ／まで」のように強調して表現されることが多い。
  AとBは比べることができる内容で、程度や価値に差がある。文全体は否定的な内容となることが多く、その場合は、Aの方が程度や価値が高い。
- **接続** [名]＋はおろか

① 弟は内気で、人前でスピーチはおろか簡単な挨拶さえできない。
② わたしは半年前に来日した時は、漢字はおろか平仮名も読めませんでした。

類語　★2級　～どころか

45　ひとり～だけでなく／ひとり～のみならず　固

- **意味** ただ～だけではなく　普通、「ひとりAだけでなくBも」の形で用いられ、「ただAだけではなくBも」の意味。A、Bには対照的、並立的あるいは類似の内容がくる。「ひとり」を省略した形でも用いる。「ひとり～のみならず」は文語体。
- **接続** ひとり＋ [動・い形・な形]の名詞修飾型 ｝＋だけでなく／のみならず
  [名]
  [名]と[な形]は「～である」の形になることもある。
  「～のみならず」に接続する場合、[な形]は「～である」の形になる。

① リー君の問題は、ひとり彼が悩んでいるだけでなく、他の留学生の問題でもある。
② 喫煙はひとり本人に有害であるのみならず、周囲の者にとっても迷惑なものである。
③ 出生数の減少傾向は、ひとり日本のみならず、諸外国においても同様に見られる。

類語　40 ただ～のみならず・★2級　～のみならず

40

1．次の文の（　）に最も適当なものをa〜cの中から選びなさい。

1）レオナルド・ダ・ヴィンチはただ優れた芸術家（　　　）のみならず、科学者でもあった。
　　a．であって　　　　b．であった　　　　c．でない

2）災害時の救援はただ（　　　）もののみならず、人々の心のケアも大切である。
　　a．物質的な　　　　b．精神的な　　　　c．高価な

3）この仕事はただ知識のみならず、経験の豊かさが（　　　）。
　　a．必要ではない　　b．問われる　　　　c．なくはない

2．次の文の＿＿＿に適当な言葉を入れなさい。

1）ごみ問題の解決には＿＿＿＿＿＿のみならず、市民一人一人の自覚と努力が重要である。

2）公害はただ人々の健康を害するのみならず、環境に及ぼす影響も＿＿＿＿＿＿＿。

41

1．次の文の（　）に最も適当なものをa〜cの中から選びなさい。

1）日本で生活するからには漢字は（　　　）までも、せめて読めたほうがいい。
　　a．書ける　　　　　b．書けた　　　　　c．書けない

2）代表選手に選ばれないまでも、せめて補欠選手には（　　　）。
　　a．選ばれたい　　　b．選ばれない　　　c．選ばれたくない

3）1時間で仕上げろとは言わないまでも、（　　　）仕上げてほしい。
　　a．できるだけゆっくり　　b．あしたまでには　　c．30分ぐらいで

2．次の文の＿＿＿に適当な言葉を入れなさい。

1）両親には、手紙は＿＿＿＿＿＿までも、1か月に1度くらい電話をします。

2）国へ帰る友人を、空港までは＿＿＿＿＿＿までも、せめて駅までは送りたい。

42

1．次の文の（　）に最も適当なものをa〜cの中から選びなさい。

1）のんびりした性格の姉にひきかえ、妹は（　　　）。
　　a．せっかちだ　　　b．のんびりだ　　　c．親切だ

2）月初めが（　　　）にひきかえ、月末は猫の手も借りたいほど忙しい。
　　a．暇　　　　　　　b．暇だ　　　　　　c．暇なの

3）この辺りは昼間の（　　　）にひきかえ、夜はほとんど人通りがなくなる。
　　a．人通りの少なさ　b．静かさ　　　　　c．にぎやかさ

2．次の文の＿＿＿に適当な言葉を入れなさい。

1）父が子供たちに対して甘いのにひきかえ、母はいつも＿＿＿＿＿＿＿。

2）その国では＿＿＿＿＿＿にひきかえ、医療費は非常に高い。

43

1．次の文の（　）に最も適当なものをa〜cの中から選びなさい。
1）8月だというのに、梅雨時にもまして、雨の日が（　　　）。
　　a．少ない　　　　　　b．多い　　　　　　　c．全然ない
2）日本に来て日本語を習得（　　　）にもまして、日本人の友達がたくさんできたことがとてもうれしい。
　　a．できる　　　　　　b．できたの　　　　　c．できた
3）あの学生は成績が（　　　）のにもまして礼儀正しいことで評判だ。
　　a．優秀　　　　　　　b．優秀だ　　　　　　c．優秀な

2．次の文の＿＿＿に適当な言葉を入れなさい。
　ここ数年、我が国の経済状況は下り坂だが、今年の景気は去年にもまして＿＿＿＿＿＿。

44

1．次の文の（　）に適するものをa〜cの中から選びなさい。
1）彼は平仮名を（　　　）はおろか、読むこともできない。
　　a．書けない　　　　　b．書いて　　　　　　c．書くこと
2）お金がないので、（　　　）はおろか自転車も買えない。
　　a．扇風機　　　　　　b．車　　　　　　　　c．食べ物

2．次の文の＿＿＿に適当な言葉を入れなさい。
1）交通事故で足の骨を折り、歩くことはおろか＿＿＿＿＿＿＿もできない。
2）休暇がたったの1日では、＿＿＿＿＿＿＿はおろか国内旅行も無理だろう。

45

1．次の文の（　）に最も適当なものをa〜cの中から選びなさい。
1）自然環境の悪化はひとり日本のみならず（　　　）問題でもある。
　　a．地域的な　　　　　b．東京中の　　　　　c．世界的な
2）その評論家の意見はひとり（　　　）のみならず、差別的なものでもあった。
　　a．独断的だ　　　　　b．独断的な　　　　　c．独断的である
3）病気やけがは、ひとり本人にとって（　　　）だけでなく、周囲の人々にとってもつらいものだ。
　　a．苦痛な　　　　　　b．苦痛だ　　　　　　c．苦痛の

2．次の文の＿＿＿に適当な言葉を入れなさい。
1）この地球はひとり＿＿＿＿＿＿のみならず、草木や動物たちのものでもあるのです。
2）税制問題については、ひとり政府だけでなく、＿＿＿＿＿＿の立場からも考えるべきだ。

46 ～もさることながら

> **意味** ～もそうだが、それだけでなく
> 前のことももちろんだが、後のことの方がもっと度合いが強いということを表す。
>
> **接続** ［名］＋もさることながら

① 両親の意向もさることながら、子供自身が有名校にあこがれている。
② 歌のうまさもさることながら、彼女はピアノの名手なんです。
③ 会話の練習では、話すこともさることながら、確実に聞き取ることが重要です。

3-3 二つの語を組にして用いる表現

47 ～つ～つ

> **意味** ～たり～たり
>
> **接続** ［動1－ます形］＋つ＋［動2－ます形］＋つ
> 対照的な内容を持つ二つの動詞、または一つの動詞の能動態と受動態を用いる。

① 彼は入ろうか入るまいかと思案しながら、映画館の前を行きつ戻りつしていた。
② ラッシュアワーの車内で、乗客は押しつ押されつしている。

● 慣用 1「もちつもたれつ」〈お互いに助けたり助けられたり〉
・世の中はみな、もちつもたれつ、困った時はお互い様ですよ。
2「さしつさされつ」〈酒などをお互いについだりつがれたり〉
・久しぶりに旧友に会い、さしつさされつ、夜遅くまで語り合った。
3「ためつすがめつ」〈様々な角度からよく見ながら〉
・彼女はそのセーターをためつすがめつして、買おうかどうしようかと迷っている。
上の例のほかに「くんずほぐれつ」〈組み合ったり離れたり〉など定型化した表現が多い。

48 ～であれ～であれ

> **意味** ～でも～でも・～であっても～であっても
> 前者・後者どちらの場合でも、後の内容に変わりがないことを表すことが多い。
>
> **接続** ［名1］＋であれ＋［名2］＋であれ
> ［名1］と［名2］には対照的、並立的あるいは類似の内容がくる。

① 注射であれ飲み薬であれ、よく効く薬はかえって副作用が心配だ。
② 父は菓子であれ果物であれ、甘い物は一切口にしない。
③ 正社員であれパートであれ、仕事に対する責任は変わりません。

▶ 参考 25 ～であれ（逆接）

49 〜といい〜といい

> **意味** 〜も〜も
> 「AといいBといい」の形で、A、Bは対照的、並立的あるいは類似の内容を例示する。
>
> **接続** [名1] +といい+ [名2] +といい

① このスーツ、色といいデザインといい、お客様によくお似合いですよ。
② 手といい足といい、引っかき傷だらけだった。

▶ **参考**　「AといわずBといわず」〈AもBも（さらに全体が、そうである。）〉
　　・手といわず足といわず、引っかき傷だらけだった。
　　〈手も足もさらに全身が引っかき傷だらけだった。〉

50 〜なり〜なり

> **意味** 〜でも〜でも
> 普通「AなりBなり」の形で、A、Bには対照的、並立的あるいは類似の内容を例示する。Bには「何」「どこ」などの疑問詞も用いられる。
>
> **接続**　[動1 − 辞書形] ／[名1]　+なり+　[動2 − 辞書形] ／[名2]　+なり

① 勉強ばかりしていないで、たまには外に遊びに行くなりスポーツをするなりして、気分転換をしたらどうですか。
② ジュースなりコーラなり、お好きなものをどうぞ。
③ 風邪を引いたのなら、薬を飲むなり何なりすればよかったのに。

51 〜（よ）うが〜まいが／〜（よ）うと〜まいと

> **意味** 〜しても〜しなくても
> 「〜しても〜しなくても、どちらにしても」と、前の文の表す内容が後ろの文の表す内容に影響を及ぼさないことを言う時の表現。
>
> **接続**　[動−意向形] +が／と+ [動−辞書形] +まいが／まいと
> 同じ動詞を2度繰り返して使う。ⅡグループまたはⅢグループの動詞の場合は「まいが／まいと」の前には［ない形］も使われる。

① 雨が降ろうが降るまいが、わたしは出かけます。
② パーティーに参加しようがするまいが、会費は全員払わなければならない。
③ 昔の恋人が結婚しようとしまいと、今のわたしには関係のないことです。

46

1．次の文の＿＿＿の意味に最も近いものをa～cの中から選びなさい。

彼はスポーツもさることながら、勉強もなかなかのものだ。

a．スポーツは大したことはないが、勉強はよくできる
b．スポーツはもちろんのこと、勉強もよくできる
c．スポーツはできるが、勉強はあまりできない

2．次の文の（　）に最も適当なものをa～cの中から選びなさい。

1）成功するためには（　　　）もさることながら、運も無視できない。
　　a．実力　　　　　　b．実力がある　　　　c．実力がない

2）あのレストランは味もさることながら、（　　　）。
　　a．駅からも遠い　　b．お客も多い　　　　c．雰囲気もいい

3）日本の夏は（　　　）もさることながら、湿気が多くて過ごしにくい。
　　a．気温は高い　　　b．気温の高さ　　　　c．気温が高くて

47

次の文の（　）に最も適当なものをa～fの中から選びなさい。

| a．ためつすがめつ | b．くんずほぐれつ | c．抜きつ抜かれつ |
| d．さしつさされつ | e．もちつもたれつ | f．追いつ追われつ |

1）友達なんだからお互いに（　　　）、助けたり助けられたりですよ。
2）去年のマラソン大会では1位と2位が最後まで（　　　）の接戦だった。
3）刑事と逃げる犯人が（　　　）する映画のシーンは、かなり迫力があった。
4）合格通知を手にしたラオさんは信じられないという様子で（　　　）見直した。
5）今夜はゆっくり二人きりで、（　　　）朝まで飲みましょう。
6）レスリングの世界王者決定戦とあって、両者は（　　　）の熱戦だった。

48

1．次の文の＿＿＿の意味に最も近いものをa～cの中から選びなさい。

経験者であれ未経験者であれ、この仕事では平等にチャンスが与えられている。

a．未経験者とは違って経験者は特別に
b．経験者も未経験者もどちらも変わりなく
c．未経験者だから特別に配慮して

2．次の文の＿＿＿に適当な言葉を入れなさい。

1）たとえ休暇がとれても、海であれ＿＿＿＿＿であれ、込んでいる所へは行きたくない。
2）犬であれ＿＿＿＿＿であれ、人間の都合で捨てられる動物たちを放っておけない。
3）＿＿＿＿＿であれ未成年者であれ、人間として大切にすべきことに違いはないだろう。

49

1．次の文の（　）に最も適当なものをa〜cの中から選びなさい。

1) 書き方といい、（　　　）といい、漢字はわたしにとっては悩みの種だ。
   　a. 聞き方　　　　　b. 読み方　　　　　c. 話し方

2) 一流レストランと言われるだけあって、味といい、雰囲気といい、（　　　）。
   　a. 値段が高い　　　b. 大したことはない　c. 申し分ない

3) （　　　）、これ以上のマンションは見つからないだろう。
   　a. 広いといい、家賃が安いといい
   　b. 広くてといい、家賃は安くてといい
   　c. 広さといい、家賃の安さといい

2．次の文の＿＿＿に適当な言葉を入れなさい。

1) 目元といい、口元といい、彼女は死んだ母親に＿＿＿＿＿＿＿。

2) 彼の会社は＿＿＿＿＿＿といい、ボーナスといい、他社と比べてずっといいそうだ。

50

1．次の文の＿＿＿の意味に最も近いものをa〜cの中から選びなさい。

語学の学習にはCDなり何なり、何らかの音声教材があったほうがいい。
　a. CDのみならず何も　　b. CDであれ何であれ　　c. CDはおろか何も

2．次の文の＿＿＿に適当な言葉を入れなさい。

1) ご家族が心配しているでしょうから、電話を＿＿＿＿＿＿なり、
   手紙を＿＿＿＿＿＿なりしてはどうですか。

2) わからない言葉は辞書で＿＿＿＿＿＿なり、先生に＿＿＿＿＿＿なりして必ず
   意味を確認するようにしている。

3) ＿＿＿＿＿＿なり＿＿＿＿＿＿なり、だれか信頼できる人に悩みを相談したい。

51

1．下の□の中から言葉を選び、適当な形に変えて文中の＿＿＿に書きなさい。

　　　食べる　　　使う　　　来る

1) 電話を＿＿＿＿＿＿と＿＿＿＿＿＿、基本料金は払わなければならない。

2) 料理を＿＿＿＿＿＿が＿＿＿＿＿＿、パーティーの参加費は同じだ。

3) お客が＿＿＿＿＿＿が＿＿＿＿＿＿、この店は午後9時まで開いている。

2．次の文の＿＿＿に適当な言葉を入れなさい。

1) 用事が＿＿＿＿＿＿と＿＿＿＿＿＿、母は毎晩電話をかけてくる。

2) 友達が＿＿＿＿＿＿が＿＿＿＿＿＿、わたしは行くつもりだ。

52 ～(よ)うにも～ない

> **意味** ～しようとしてもできない・～したいのにできない
>
> **接続** ［動1－意向形］＋にも＋［動2－ない形］＋ない
> 　　　　同じ動詞を2度繰り返して使う場合、後ろの動詞は不可能を表すものになる。

① 頭が痛くて、起き<u>ようにも</u>起きられ<u>なかった</u>。

② 新しいパソコンを買<u>おうにも</u>、お金がなくて買え<u>ない</u>。

③ 会社を辞め<u>ようにも</u>、次の仕事が見つから<u>ない</u>。

52

1．次の文の_____の意味に最も近いものをa～cの中から選びなさい。

荷物が重くて、一人で持とうにも持てなかった。

　a．持ちたくないので、持たなかった
　b．持とうとしたが、だめだった
　c．持たなければならないが、一人ではいやだった

2．下の□の中から言葉を選び、適当な形に変えて文中の_____に書きなさい。

| する　　　　歩く　　　　かける |

1）足が痛くて、もうこれ以上_____にも_____。
2）お金がなかったので、プレゼントを_____にも買えなかった。
3）一刻(いっこく)も早く連絡したいのだが、電話を_____にも番号がわからない。

第3章 確認問題（34〜52）

次の文の（　　）に最も適当なものをa〜dの中から選びなさい。

1．周囲の人たちが（　　）、わたしはわたしの選んだ道を行くだけです。
　　a．反対しようとするまいが　　　　b．反対しようがしまいが
　　c．反対するがしようまいが　　　　d．反対するとしないと

2．すっかり足がしびれてしまって、（　　）。
　　a．立とうにも立たなかった　　　　b．立つにも立たなかった
　　c．立つにも立てなかった　　　　　d．立とうにも立てなかった

3．遅刻は理由（　　）、絶対に認められません。
　　a．がいかんでも　　　　　　　　　b．をいかんに問わず
　　c．いかんによって　　　　　　　　d．のいかんによらず

4．彼女は決断力（　　）指導力（　　）、リーダーとして最適な人物だ。
　　a．といい／といい　　　　　　　　b．につけ／につけ
　　c．なり／なり　　　　　　　　　　d．やら／やら

5．当社では社員の採用にあたり、ただ学歴（　　）、人柄をも重視している。
　　a．のみならず　　b．いかんで　　c．はおろか　　d．もかまわず

6．幸せと思えるかどうかは、その人自身の考え方（　　）です。
　　a．いかに　　　b．いかん　　　c．いかが　　　d．いかんで

7．これは人命（　　）大切な訓練だから、もっと真剣に取り組むように。
　　a．にかかわる　　b．について　　c．に対して　　d．において

8．娘は食べるばかりで、食事の支度（　　）後片付けもしない。
　　a．にとどまらず　　b．にせよ　　c．の上に　　d．はおろか

9．あなた自身の人生です。大学へ（　　）、就職（　　）、自分で道を選びなさい。
　　a．行ったら／したら　　　　　　　b．行くといい／するといい
　　c．行くべく／するべく　　　　　　d．行くなり／するなり

10．試験の結果は、完ぺきとは言えない（　　）合格するには十分なものでした。
　　a．だけに　　b．までも　　c．ゆえに　　d．ものを

11．留学生同士お互いに（　　）、助け合いながら生活している。
　　a．もとうがもたれようが　　　　　b．もつやらもたれるやら
　　c．もちつもたれつ　　　　　　　　d．もつなりもたれるなり

12. 部長に昇進した父は以前にも（　　　）帰宅が遅くなった。
    a. 反して　　　　b. まして　　　　c. ひきかえ　　　　d. さることながら
13. 積極的な弟（　　　）、兄はおとなしくて消極的だった。
    a. はおろか　　　b. にもまして　　c. にひきかえ　　　d. のみならず
14. 今度引っ越した所は交通の便利さ（　　　）、近くに大型スーパーや公園などもあり暮らしやすい。
    a. をよそに　　　b. はおろか　　　c. において　　　　d. もさることながら
15. 両親の期待（　　　）彼は医大を中退し、好きな絵の勉強をするため一人フランスへ旅立った。
    a. に対して　　　b. を問わず　　　c. をよそに　　　　d. にひきかえ
16. 消防士たちは猛火（　　　）山火事の消火にあたった。
    a. によらず　　　b. にもまして　　c. をよそに　　　　d. をものともせずに
17. 人一倍の責任感と持ち前の明るさとが（　　　）、彼はリーダーとして慕われている。
    a. かかわって　　b. あまって　　　c. あいまって　　　d. かさなって
18. 失業率の上昇はひとり日本（　　　）、世界各国においても深刻な問題になっている。
    a. のみならず　　b. はおろか　　　c. にひきかえ　　　d. をおいて
19. 子供（　　　）大人（　　　）、入場料は同額です。
    a. から／から　　b. であれ／であれ　c. とか／とか　　　d. やら／やら

第3章　実戦問題

次の文の（　　）に最も適当なものをa～dの中から選びなさい。

1．帰国前に、挨拶には来られない（　　）、せめて電話ぐらいはしてほしいものだ。
　　a．までに　　　　b．までと　　　　c．までも　　　　d．までは
2．今回の旅行は、参加者の人数いかん（　　）中止することもあります。
　　a．にともなって　b．をもとに　　　c．ともなると　　d．によっては
3．彼女に誕生日のプレゼントを渡そうか渡すまいかと、家の前を（　　）していた。
　　a．行って戻って　b．行きつ戻りつ　c．行くと戻ると　d．行けば戻れば
4．彼は社長から取引先との重大な契約を任され、前（　　）張り切っている。
　　a．にもまして　　b．にひきかえ　　c．のみならず　　d．もさることながら
5．被災地の悲惨さには、だれもが目を覆った。そして、ただ国内（　　）、海外からも多くの人々がボランティア活動に参加した。
　　a．だけならず　　b．ただならず　　c．のみならず　　d．かかわらず
6．重要な報告を聞く時には、メモをとる（　　）録音する（　　）した方がいいですよ。
　　a．なり／なり　　b．こと／こと　　c．とも／とも　　d．や／や
7．今回の国際会議に関しては、秘書の手違いで、ホテルの予約（　　）資料の準備もできていない。
　　a．をよそに　　　b．といえども　　c．はおろか　　　d．にひきかえ
8．地域住民の反対の声を（　　）、新空港の工事は着々と進められている。
　　a．そとに　　　　b．まえに　　　　c．ほかに　　　　d．よそに
9．一度決めたことだ。参加者が集まろうが集まるまいが、来週の講演は予定通り（　　）。
　　a．行うだろうか　　　　　　b．行ってはならない
　　c．行わないであろう　　　　d．行わなくてはならない
10．家庭菜園を作りたいと思うが、こんな猫の額ほどの庭では、畑を作ろうにも（　　）。
　　a．作れない　　　b．作らない　　　c．作るまい　　　d．作るものを

11. お客様に対する言葉遣いは老舗の評判（　　　）ことだから、十分注意してください。
    a. をかざる　　　b. にかかる　　　c. をかける　　　d. にかかわる

12. きのう泊まったホテルは設備（　　　）接客態度（　　　）、さすが、一流といわれるだけのことはある。
    a. といい／といい　　b. とも／とも　　c. として／として　　d. とやら／とやら

13. そのテレビドラマは、脚本のよさと主演俳優の魅力が（　　　）、海外でも高い視聴率を獲得している。
    a. あれば　　　b. あまると　　　c. あっての　　　d. あいまって

14. 採用不採用の（　　　）、結果は封書にてご連絡申し上げます。
    a. ことなしに　　b. ないまでも　　c. のみならず　　d. いかんによらず

15. 苦しい生活（　　　）、彼女はだれにも頼らずに、自力で大学を卒業した。
    a. にひきかえ　　b. をものともせず　c. にもまして　　d. もさることながら

16. 彼女の部屋は駅から近くて便利だ。それ（　　　）わたしの部屋は駅からバスで30分もかかる所にある。
    a. にかかわらず　　b. にかんして　　c. にひきかえ　　d. にもまして

17. あの会社は最近急成長している。社長の実力（　　　）、やはり社員一人一人の努力の結果だ。
    a. にひきかえ　　b. とあいまって　　c. をもろともせず　　d. もさることながら

その機能語が出題された年度

【1997】1. 【1998】2. 3. 4. 5. 【1999】6. 【2000】7. 8. 9. 10.
【2001】11. 12. 13. 【2002】14. 15. 16. 17.

読みましょう⑦　　就職試験

35 ～いかんにかかわらず・37 ～にかかわる・38 ～をものともせず・
45 ひとり～だけでなく・46 ～もさることながら・36 ～と相まって・
49 ～といい～といい・43 ～にもまして

　数年前、神奈川県下のある市は全国の自治体に先がけて、行政事務職や一般事務職の採用にあたっての国籍条項を撤廃した。これによって、応募資格を満たしていれば、国籍のいかんにかかわらず、だれでも、その市の事務職員の採用試験を受けることができるようになった。

　留学生Cさんは、卒業を控え、帰国するか、就職して日本に留まるか、将来にかかわる選択だけに、ずいぶん悩んだ末に、この採用試験を受けることにした。そして、日本人の大学生も含めて競争率16倍という難関をものともせず、見事合格通知を手にしたのである。この合格はひとり彼女の喜びであっただけでなく、留学生仲間全体を勇気付けるものでもあった。

　彼女の日々の勉学における努力もさることながら、その市がちょうどその年に外国人に門戸を開いたという時期も幸いした。すなわち、実力と幸運とが相まって彼女を成功に導いたといえるであろう。人柄といい、熱意といい、彼女は市民のために働く公務員にはうってつけの人物である。公務員として市民に望まれる仕事をするべく、彼女は学生時代にもまして努力を続けている。

　その他の1級：22 ～べく
　2級：～にあたって・～だけに・～末に・～として

読みましょう⑧　景気

34 ～いかん・42 ～にひきかえ・40 ただ～のみならず・39 ～をよそに・
41 ～ないまでも

　日本経済の動向はアメリカの景気いかんにかかっていると、よく言われる。「アメリカがくしゃみをすれば、日本は風邪を引く。」という言葉さえあるくらい、アメリカ経済の動向が日本経済に及ぼす影響は大きいということである。
　両国の貿易関係について見ると、現在、アメリカでの日本製自動車などの売れ行きが好調なのにひきかえ、日本国内での米国産品の売れ行きは、食品の安全性や工業製品の質の問題などの理由から落ち込んだままである。そのため、日本はアメリカに貿易黒字の削減を、強く迫られている。この問題解決のためには、日米双方が、ただ自国の利益を追求するのみならず、相手国の国内事情をも見極めた諸政策をとる必要があろう。
　しかしながら、対米貿易黒字をよそに、日本の経済成長率は最悪期からは脱したものの、依然として低い水準にとどまっている。アメリカ政府が巨額の軍事費による財政赤字や貿易赤字を解決する真に有効な政策をとらない限り、ドル安・円高が進み、アメリカ向け輸出に支えられてきた日本経済の本格的回復も、なかなか進まないということになる。高度成長期の頃の大型景気のようにとはいわないまでも、せめて生活が豊かになったと実感できる状況になってほしいものだ。

2級：～さえ・～くらい・～ものの・～ない限り・～ものだ

読みましょう⑨　投資

47 〜つ〜つ・50 〜なり〜なり・52 〜ようにも〜ない・44 〜はおろか

会社員A：最近、景気は少し上向いたと言われているけど、我々庶民の生活実感からすれば、まだまだどん底って感じですよね。

会社員B：そうだね。ここ数か月、株価は小幅に行き<u>つ</u>戻り<u>つ</u>、一向に上がる気配がないしなあ。

会社員A：先輩、株をやってるんですか。

会社員B：うん、この低金利時代、銀行に預金したところで、雀の涙くらいの利息しかつかないだろ。最近は小口の株式売買が可能になって、多くの個人投資家が誕生してるってわけさ。日本経済の景気回復にも一役買えるわけだし。

会社員A：我々庶民が財布をはたいて、いくら株を買おうと、経済の動向には大した影響も及ぼさないでしょう。

会社員B：そんなこと言ってないで、君も将来に備えて、株<u>なり</u>、何<u>なり</u>、投資を考えた方がいいよ。

会社員A：いやあ、投資<u>しようにも</u>、<u>元手がない</u>というのが実情です。預金<u>はおろか</u>、月々の生活費さえやっと、という有様なんです。

会社員B：やれやれ。

会社員A：でも、ぼくは体を鍛えたり、本を読んだり、いい音楽を聴いたり、若いうちに自分に対する投資だけは、しっかりやっておくつもりですから。

会社員B：そうだな。お互い頑張って、投資しような。

その他の1級：24 〜たところで・33 〜（よ）うと
2級：〜からすれば・〜くらい・〜わけだ・〜さえ・〜うちに

第4章
状況や様子を表す表現

4-1 状況や様子を表す表現

53 〜ごとき／〜ごとく・54 〜ずくめ・55 〜っぱなし・
56 〜とばかりに・57 〜ともなく／〜ともなしに・58 〜ながらに・
59 〜なりに／〜なりの・60 〜にあって・
61 〜に至る／〜に至るまで／〜に至って（は）／〜に至っても・
62 〜にそくして／〜にそくした・63 〜にたえない・64 〜にたえる・
65 〜に足る・66 〜まみれ・67 〜めく・68 〜をもって・
69 〜んばかりだ／〜んばかりに／〜んばかりの

4-1 状況や様子を表す表現

53　～ごとき／～ごとく

意味　～ような／～ように
　「実際はそうではないが、まるで～のような／に」というたとえの表現に用いることが多い。文語体。

接続　[動-普通形]＋(が)／(かの)
　　　　[名-の]
　　　　[名・な形容詞]＋であるが(の)／であるかの
　　　　　　　　　　　　　　　＋ ごとき＋[名]
　　　　　　　　　　　　　　　　　ごとく＋[動・形・副]

① その少年は飛ぶがごとき勢いで、駆け去った。
② その少女は白百合のごとき乙女であった。
③ 前述したごとく、会議の日程が変更になりましたので、ご注意ください。
④ あの社長は世の中のすべてが自分のものであるかのごとくふるまっている。

▶**参考**　72 ～ごとき（強調）

54　～ずくめ

意味　～ばかり
　全部、全体がそればかりの状態であることを表す。

接続　[名]＋ずくめ

① 試験には合格するし、恋人はできるし、いいことずくめですね。
② 黒ずくめの男が、さっきから門の前に立っている。

注意　上の例のほかに「ご馳走」「失敗」「異例」などの限られた名詞と共に用いる。

55　～っぱなし

意味　～たまま
　自動詞の場合は「～たまま変化がなく続く」、他動詞の場合は「～たままその後何もしない」ことを表す。話し手の不満や非難の気持ちを含むことが多い。

接続　[動-ます形]＋っぱなし

① 新製品の評判がよく、朝から問い合わせの電話が鳴りっぱなしだった。
② 弟は何でもやりっぱなしで、いつも母に後始末をしてもらっている。
③ 新幹線が込んで、大阪から東京までずっと立ちっぱなしだった。

56 〜とばかりに

> 📖 [意味] いかにも〜という様子で
> ➕ [接続] ［動−普通形／命令形］ ｝＋とばかりに
> ［い形・な形・名］の普通形
> ただし、［な形］と［名］の「だ」はつかないこともある。

① 彼女が舞台に登場すると、「待ってました！」とばかりに大きな拍手が起こった。
② 彼は、わたしに早く帰れとばかりに、書類を片付けはじめた。
③ 彼女は、信じられないとばかりに、口を開けたまま彼を見つめていた。

● 慣用 「この時とばかりに」〈いかにもこのチャンスを待っていたという様子で〉
　　　・その侍は、相手が背を向けるや、この時とばかりに切りかかった。

▶ 類語 「〜と言わんばかりに」（69 〜んばかりに ▶ 参考）

57 〜ともなく／〜ともなしに

> A 📖 [意味] 特に〜しようと思わないで、何となく
> 　　　はっきりと意識せずに、その動作をしている時の表現。
> ➕ [接続] ［動−辞書形］＋ともなく／ともなしに
> 　　　前後に同じ内容を表す動詞がくることが多い。

① 見るともなくぼんやり外を見ていたら、不意に大きなカラスが飛んできた。
② 寂しい夜は、だれかから電話がかかってくるのを待つともなしに待っている。

> B 📖 [意味] 〜と、はっきり特定できないが
> ➕ [接続] ［疑問詞（＋助詞）］＋ともなく／ともなしに

① だれともなく、地震の被災者のためにボランティア活動をしようと言い始めた。
② 住宅街を歩いていると、どこからともなしに、ピアノの音が聞こえてきた。

58 〜ながらに

> 📖 [意味] 〜（その状態や様子の）ままで
> ➕ [接続] ［動−ます形］ ｝＋ながらに
> 　　　　［名］

① インターネットを活用すれば、居ながらにして世界中の情報が手に入る。
② その少年は生まれながらに動物たちと交流できる不思議な能力を身に付けていた。
③ 薬害の被害者たちは、これまでの苦しい経験を涙ながらに語った。

‼ 注意 上の例のほかに「生きる」「昔」「いつも」など限られた語と共に慣用的に用いる。

第4章 練習 53-55

53
下の□の中から言葉を選び、「～ごとき」か「～ごとく」をつけた適当な形にして文中の＿＿＿に書きなさい。

| 風　　飛ぶ　　泣く　　山　　海 |

1）津波警報が出て間もなく、＿＿＿＿＿＿＿大波が海岸の人々を襲ってきた。
2）彼女は＿＿＿＿＿＿＿軽やかに踊ることができる。
3）彼はどんな人をも受け入れる＿＿＿＿＿＿＿広い心を持っている。
4）その列車は＿＿＿＿＿＿＿速さで、目の前を通りすぎて行った。
5）ヒューヒューと＿＿＿＿＿＿＿風の音が一晩中聞こえていた。

54
1．次の文の（　）に最も適当なものをa～fの中から選びなさい。

| a. 暇　　b. 料理　　c. 黒服　　d. 黒　　e. ご馳走　　f. 規則 |

1）目撃者の話によると（　　）ずくめの怪しい男が付近にいたそうだ。
2）学校では教師たちが厳しく、（　　）ずくめの生活で息が詰まりそうだ。
3）祖父の77歳のお祝いとあって今夜は（　　）ずくめの夕食です。

2．次の文の＿＿＿に適当な言葉を入れなさい。
1）夫は＿＿＿＿＿＿＿、娘は＿＿＿＿＿＿＿し、今年の我が家は結構ずくめです。
2）寝坊はするし財布は落とすし、今日は朝から＿＿＿＿＿＿＿ずくめだ。

55
1．次の文の（　）に最も適当なものをa～cの中から選びなさい。
1）兄は不精者だから、いつも布団を（　　）にしている。
　　a. 敷いてっぱなし　　　b. 敷きっぱなし　　　c. 敷くっぱなし
2）カラオケで3時間も歌いっぱなしだったので、声が（　　）しまいました。
　　a. 出て　　　　　　　b. かれて　　　　　　c. 響いて

2．次の文の＿＿＿に適当な言葉を入れなさい。
1）借りっぱなしになっていた本をやっと＿＿＿＿＿＿＿。
2）歯を磨く時は水道の水を＿＿＿＿＿＿＿にしないで、節水を心がけよう。
3）今日は朝からミスの連続で、店長に＿＿＿＿＿＿＿だった。

56

1．次の文の＿＿＿の言葉の意味に最も近いものをa～cの中から選びなさい。

1）母は疲れたとばかりに、どかりと床に腰を下ろした。
  a．何度も「疲れた」と言って b．ちょうど疲れたところなので
  c．見るからに疲れた様子で

2）「天まで届け」とばかりに、彼はボールを空に向かって放り投げた。
  a．高く飛ぶように精一杯の力を出して b．大声で「天まで届け」と叫びながら
  c．どこまで飛ぶのか試してみようと

2．次の文の＿＿＿に適当な言葉を入れなさい。

1）彼は絶対に＿＿＿＿＿＿＿とばかりに、首を横に振った。

2）その学生は＿＿＿＿＿＿＿とばかりに、あくびをした。

57

1．下の＿＿の中から言葉を選び、適当な形に変えて文中の＿＿＿に書きなさい。

  聞く 見る 思い出す

1）何もする気がせず、テレビを＿＿＿＿＿ともなく＿＿＿＿＿一日を過ごした。

2）後ろに座った人たちの話を＿＿＿＿＿ともなしに＿＿＿＿＿しまった。

3）国の音楽を聞いていたら、家族のことを＿＿＿＿＿ともなしに＿＿＿＿＿しまった。

2．次の文の＿＿＿に適当な言葉を入れなさい。

1）一人でいると寂しくて、だれに＿＿＿＿＿ともなしに独り言を言っていた。

2）彼はどこへ行くともなく、ただふらふらと＿＿＿＿＿。

58

1．次の文の（　）に最も適当なものをa～cの中から選びなさい。

1）彼女は涙ながらに（　　　）。
  a．突然泣き始めた b．ハンカチで涙をふき始めた c．自分の一生を話し始めた

2）ミイラの中には（　　　）ながらにして、土中に埋められた人々もいる。
  a．生き b．生きて c．生きる

2．次の文の＿＿＿に適当な言葉を入れなさい。

1）彼の田舎では、今でも古い習慣を＿＿＿＿＿ながらに守っているそうだ。

2）最近は家庭に＿＿＿＿＿ながらにして買い物ができる便利なインターネットショッピングを利用する人が増えているらしい。

3）その有名なピアニストは＿＿＿＿＿ながらにして素晴らしい才能を持っていたという。

59 〜なりに／〜なりの

> **意味** 〜に応じて・〜にふさわしく
> 「十分ではないが、それ相応に」の意味を含むことが多い。
>
> **接続** ［動・い形・な形・名］の普通形 ｛＋なりに＋［動・形・副］／＋なりの＋［名］｝
> ただし、［な形］と［名］の「だ」はつかない。

① 収入が増えれば増えた<u>なりに</u>、支出も多くなっていく。
② 狭い部屋ですが、狭ければ狭い<u>なりに</u>、工夫して使っています。
③ これはわたし<u>なりに</u>、考え抜いて出した結論です。
④ 若者には、若者<u>なりの</u>悩みがある。

●**慣用**「それなりに」〈十分ではないが、それ相応にある程度までは〉
　・ピアノは、練習すればだれでも、<u>それなりに</u>上手になる。

60 〜にあって

> **意味** 〜に・〜で・〜でも
> そのような状況であることを強調する。順接にも逆接にも用いる。
>
> **接続** ［名］＋にあって

① 彼女は戦時中、思想統制下<u>にあって</u>、なお、自由な精神を持ち続けた。
② 父は病床<u>にあって</u>、会社の業績悪化を気にかけている。

61 〜に至る／〜に至るまで／〜に至って（は）／〜に至っても

> **意味** 〜になる／〜になるまで／〜になって（は）／〜になっても
> 行き着く先、結果、範囲などを表す。
> 「〜に至っては」「至っても」は極端な例を示す。
>
> **接続** ［動−辞書形］／［名］ ＋に至る／至るまで／至って（は）／至っても

① 兄が起こした会社は発展を続け、海外に支店を出す<u>に至った</u>。
② 彼らの、成功<u>に至るまで</u>の苦労をお話ししましょう。
③ その若者は頭の先から足の先<u>に至るまで</u>、おしゃれをきめこんでいた。
④ 自殺者が出る<u>に至って</u>初めて、いじめ問題が真剣に論じられるようになった。
⑤ 大多数の住民が反対運動に参加するという事態<u>に至っても</u>、なお原子力発電所の建設計画は撤回されなかった。

●**慣用**「ことここに至っては」〈こうなってしまっては〉
　・ことここに<u>至っては</u>、手のほどこしようもない。

62　～にそくして／～にそくした

> **意味**　～に従って・～に応じて・～の通りに・～を基準として
> 　　　　状況・経験などにつく時は「即して」、法律・規則などにつく時は「則して」と書く。
>
> **接続**　［名］＋ にそくして＋［動・形・副］
> 　　　　　　　　にそくした＋［名］

① 違反者は、法律に則して処罰されます。
② 実情に即した対応策を検討いたします。

63　～にたえない

> **意味**　～を我慢できない・～することができない　　悪い状態や様子を表す。
> **接続**　［動－辞書形］＋にたえない

① 最近のテレビには、見るにたえないほどひどい番組がある。
② ああいう陰口は聞くにたえません。

注意　上の例のほかに「読む」「正視する」などの限られた語と共に用いる。

参考　64 ～にたえる（様子・状態）／ 88 ～にたえない（強調）

64　～にたえる

> **意味**　十分に～に値する・どうにか～することができる
> **接続**　［動－辞書形］
> 　　　　［名］　　　　　＋にたえる

① 趣味で始めた焼き物だが、ようやく市販するにたえる作品ができるようになった。
② あの子は、大人の鑑賞にたえる絵を描く。

注意　上の例のほかに「読む」「見る」「聞く」「批判」「評価」などを意味する限られた語と共に用いる。

参考　63 ～にたえない（様子・状態）

59

1．次の文の（　）に最も適当なものをa～cの中から選びなさい。

1）子供は色々と親を批判するものですが、親は親なりに（　　　）。
   a．悪い点があります　　b．批判されます　　c．苦労しているのです

2）その地方では冬には3メートルもの雪が積もり、交通も困難になるが、雪国には雪国なりの（　　）ものだ。
   a．暮らし方にする　　b．暮らし方がある　　c．暮らし方でやる

2．次の文の＿＿＿に適当な言葉を入れなさい。

1）大学へ行きたいのなら、それなりの＿＿＿＿＿＿＿。

2）わたしは字が下手ですが、下手は＿＿＿＿＿＿＿なりに丁寧に書くよう気をつけています。

60

1．次の文の＿＿＿の意味に最も近いものをa～cの中から選びなさい。

緊急時にあっては、冷静かつ迅速な行動が必要だ。
   a．非常に急いでいる人に出会った時には
   b．何か急を要する出来事が起きると思われる前には
   c．重大なことが起こって急いで何かをしなければならない時には

2．次の文の（　）に最も適当なものをa～cの中から選びなさい。

1）彼は冷静な人間だから、どんな事態に（　　　）慌てたりはしないだろう。
   a．あってまで　　b．あっても　　c．あってから

2）その歌手は今（　　）にあって、出す曲、出す曲、大ヒットです。
   a．絶頂期　　b．人気者　　c．世界一

61

1．次の文の（　）に最も適当なものをa～dの中から選びなさい。

1）食中毒の感染患者数が1万人を越える最悪の状況になってしまった。ことここに（　　）、政府も真剣な対応をせざるを得ないだろう。
   a．至るので　　b．至っても　　c．至るまで　　d．至っては

2）これだけの確かな証拠がそろうに至っても、彼は自分の罪を（　　　）。
   a．認めるだろう　　　　　b．認めようとしない
   c．認めかねない　　　　　d．認めてしまった

2．次の文の＿＿＿に適当な言葉を入れなさい。

1）その物語は、子供から大人に＿＿＿＿＿＿＿広く読まれている。

2）日本中を旅して歩いた彼の足跡は、北は北海道から＿＿＿＿＿＿＿は沖縄にまで至る。

62

1．次の文の＿＿＿の意味に最も近いものをa〜cの中から選びなさい。
現在我が国では、社会の変化に即した政治が強く望まれている。
 a．社会の移り変わりに影響されない政治
 b．社会を変化させていく政治
 c．社会の状況をよく考え、それに合わせた政治

2．次の文の＿＿＿に適当な言葉を入れなさい。
1）会社に大きな損害をもたらした彼の処分は＿＿＿＿＿＿＿に則して行われるだろう。
2）この問題集は詳しい解説に即して問題が＿＿＿＿＿＿＿。

63

1．次の文の（　）に最も適当なものをa〜cの中から選びなさい。
1）こんなにひどいゴシップ記事はまったく（　　　）たえない。
 a．読んで　　　　　b．読むに　　　　　　c．読むと

2．次の文の＿＿＿の意味に最も近いものをa〜cの中から選びなさい。
1）その事件の現場は、あまりにも残酷で、とても正視するにたえなかった。
 a．正視せざるを得なかった
 b．正視すべきではなかった
 c．正視することができなかった

3．次の文の＿＿＿に適当な言葉を入れなさい。
1）テレビで放映された震災の有様は、＿＿＿＿＿＿＿たえないほどひどいものだった。
2）あの歌手は顔はかわいいが、肝心の歌は聞くにたえないほど＿＿＿＿＿＿＿。

64

1．次の文の＿＿＿の意味に最も近いものをa〜cの中から選びなさい。
1）最近のCDは品質がよく、厳しい音楽家の耳にも十分たえるだろう。
 a．耳を傷つけない　　b．耳によく聞こえる　　c．満足を得られる
2）この度、我が社が開発した機種は、多くのユーザーの評価にたえるものだ。
 a．ユーザーが評価するのをなんとか我慢できる
 b．ユーザーからよい評価を得ることができる
 c．ユーザーの評価を気にする必要などない

2．次の文の（　）に最も適当なものをa〜cの中から選びなさい。
1）その学生の論文は修正を重ね、（　　　）たえるものになった。
 a．読むに　　　　　b．読んだら　　　　　c．読んでも
2）彼ほどの（　　　）ならば、この重大な任にたえるものと思う。
 a．正直者　　　　　b．臆病者　　　　　　c．実力者

65 〜に足る

> **意味** 〜だけの価値がある
> よい内容を表す。
>
> **接続** [動−辞書形]
> [名] ＋に足る
> ただし、[名]は「〜する」の形でも使うことができるものに限られる。

① あの人は信頼するに足る人物です。
② 危険をかえりみず乗客の生命を救った彼の行為は、称賛に足るものだ。

注意 上の例のほかに「読む」「見る」「聞く」「評価」「尊敬」などを意味する限られた語と共に用いる。

● **慣用**「取るに足らない／足りない」〈取り上げる価値がない・問題にもならない〉
・宇宙の大きさを思うと、今のわたしの悩みなんて、取るに足りないものだ。

66 〜まみれ

> **意味** 〜が全体にたくさんくっついている
> 表面全体に何かがくっついている状態。汚いものやよくないものの場合が多い。
>
> **接続** [名]＋まみれ

① どしゃ降りの雨の中で試合が続き、選手たちは泥まみれだ。
② 車の下から這い出してきた修理工は、油まみれだった。

67 〜めく

> **意味** 〜の様子である・〜の様子になる・〜のような感じがする
>
> **接続** [名]＋めく

① 野山が薄緑になり、すっかり春めいてきた。
② そんな皮肉めいた言い方をしないでください。

注意「〜めく」はIグループの動詞と同じように活用する。

68　〜をもって　固

意味　〜を伴って、〜によって、〜を使って
　　　　手段・方法などを表す。

接続　［名］＋をもって

① 彼は人一倍の努力をもって優勝カップを手にすることができた。
② 審査の結果は書面をもってお知らせします。
③ そのニュースは世界中に衝撃をもって伝えられた。

▶ 参考　11 〜をもって（始まりや終わりの時・期限）

69　〜んばかりだ／〜んばかりに／〜んばかりの

意味　今にも〜しそう・まるで〜しそうな様子

接続　［動−ない形］ ｛ ＋んばかりだ
　　　　　　　　　　　 ＋んばかりに＋［動・形・副］
　　　　　　　　　　　 ＋んばかりの＋［名］
　　　　　「する」は「せんばかり」となる。

① 大風が吹いて、街路樹が今にも折れんばかりだ。
② 祖母は苦しかった昔の生活を、涙ぐまんばかりにして語った。
③ 彼女にOKの返事をもらって、彼は躍り上がらんばかりの喜びようだ。

▶ 参考　「〜と言わんばかりだ／に／な」〈いかにも〜と言いたそうだ／に／な（〜とは言わないが、言いたい気持ちが後ろの態度や様子に表れている。）〉
　　　・彼は何も聞きたくないと言わんばかりに、ぷいと横を向いた。

⧗ 類語　56 〜とばかりに

第4章　練習65-67

65

1．次の文の（　）に最も適当なものをa～cの中から選びなさい。
1）やっと卒業論文のテーマとして（　　　）に足るものを見つけた。
　　a．研究する　　　　b．研究したら　　　c．研究しよう
2）（　　　）人のうわさなど、気にする必要はない。
　　a．聞くに足りない　　b．取るに足りない　　c．言うに足りない
3）社長の説明は社員を納得させるに足る（　　　）であった。
　　a．威圧的なもの　　b．完ぺきなもの　　　c．不十分なもの

2．次の文の＿＿＿に適当な言葉を入れなさい。
1）ノーベル賞を受けた彼の研究は、人々が＿＿＿＿＿＿に足る素晴らしいものだ。
2）この仕事は、危険を覚悟で挑戦するに足るだけの＿＿＿＿＿＿があると思う。
3）経験の浅い挑戦者など、チャンピオンにとっては＿＿＿＿＿＿に足りない存在だ。

66

1．次の文の（　）に最も適当なものをa～cの中から選びなさい。
1）長い間使っていなかった部屋の掃除をして、全身（　　　）になってしまった。
　　a．あかまみれ　　　b．ほこりまみれ　　c．ごみまみれ
2）（　　　）全身血まみれになった人が病院に運び込まれた。
　　a．やけどをして　　b．指を切って　　　c．大けがをして

2．次の文の＿＿＿に適当な言葉を入れなさい。
1）彼は朝から晩まで、自動車工場で＿＿＿＿＿＿まみれになって働いている。
2）雨あがりのグラウンドで、皆＿＿＿＿＿＿まみれになってサッカーの試合をした。

67

1．次の文の（　）に最も適当なものをa～cの中から選びなさい。
1）彼はよく（　　　）言い方をするので嫌われている。
　　a．皮肉めく　　　　b．皮肉のめいた　　c．皮肉めいた
2）最近めっきり秋めいて、（　　　）。
　　a．紅葉が美しくなってきた
　　b．もう秋になってしまった
　　c．早く涼しくなってほしい
3）こんな真剣な話をしている時に（　　　）言い方をするものではない。
　　a．真面目めいた　　b．笑いめいた　　　c．冗談めいた

2．次の文の＿＿＿に適当な言葉を入れなさい。
1）10年前はこの辺は田舎だったが、最近は高いビルが立ち並び、＿＿＿＿＿＿きた。
2）マフラーに手袋とは、すっかり＿＿＿＿＿＿格好ですね。

68

1．次の文の（　）に最も適当なものをa～cの中から選びなさい。
1）この失敗も誠意をもって対処すれば、（　　　）だろう。
　　a．許してほしい　　　b．許してもらえる　　　c．許してもらえない
2）（　　　）体験したことは、一生忘れられないものだ。
　　a．身をもって　　　b．体をもって　　　c．心をもって
3）彼の素晴らしい頭脳と努力をもってすれば、その研究は（　　　）だろう。
　　a．夢になる　　　b．画期的　　　c．成功する

2．次の文の＿＿＿に適当な言葉を入れなさい。
1）その突然の恐ろしいテロ事件は、世界中に＿＿＿＿＿＿＿をもって伝えられた。
2）チーム全員の団結をもってすれば、全国大会での＿＿＿＿＿＿＿も夢ではない。

69

1．次の文の＿＿＿の意味に最も近いものをa～cの中から選びなさい。
1）その少女は今にも泣き出さんばかりに、目を潤ませていた。
　　a．泣き出しながら　　b．泣き出したそばから　　c．泣き出しそうに
2）彼女は「もう話したくない」と言わんばかりの顔でわたしを見た。
　　a．言ってしまった　　b．言いたそうな　　c．言わないような

2．下の　　　の中から言葉を選び適当な形に変えて、文中の＿＿＿に書きなさい。

　　　　跳び上がる　　発車する　　倒れる　　ちぎれる

1）父はへとへとに疲れ切って、その場に＿＿＿＿＿＿＿ばかりだった。
2）その学生は合格通知を受け取り、＿＿＿＿＿＿＿ばかりに喜んだ。
3）別れの時、母は＿＿＿＿＿＿＿ばかりに、いつまでも手を振っていた。
4）バスの運転手はアクセルをふかして、今にも＿＿＿＿＿＿＿ばかりの様子で待っていた。

第4章　確認問題（53〜69）

次の文の（　　）に最も適当なものをa〜dの中から選びなさい。

1．うちの子ときたら、いつもおもちゃを（　　）片付けようとしない。
　　a．出すなり　　　　　　　　　　b．出しっぱなしで
　　c．出しながらも　　　　　　　　d．出すそばから

2．彼は黙れと（　　）顔をして、わたしをにらみつけた。
　　a．言わんような　　　　　　　　b．言わんごとき
　　c．言うばかりの　　　　　　　　d．言わんばかりの

3．あの子のピアノは子供ながらも、十分大人の鑑賞に（　　）腕前だ。
　　a．たえる　　b．たえない　　c．こたえる　　d．至る

4．あのような非常時（　　）、よくあれほど冷静でいられたものだ。
　　a．とあれば　　b．につけ　　c．とあって　　d．にあって

5．よほど頭にきたのだろう。彼女はもう顔も見たくない（　　）横を向いてしまった。
　　a．ながらに　　b．ごとく　　c．ともなると　　d．とばかりに

6．「今の若い者は」とよく言われるが、若い人には若い人（　　）の考え方があっていいと思う。
　　a．ほど　　b．なり　　c．こそ　　d．すら

7．100人以上いた会員がどんどん減り、10人を切る（　　）は、この会の存続は難しいかもしれない。
　　a．によって　　b．にあって　　c．に至って　　d．あげく

8．あのような陰険な非難は、聞くに（　　）ものだ。
　　a．至らない　　b．反する　　c．たえない　　d．すまない

9．大掃除をしてほこり（　　）になってしまった。
　　a．ずくめ　　b．まみれ　　c．がち　　d．っぽい

10．病院の待ち合い室で、（　　）ぱらぱらと雑誌をめくっていると、友達とよく行くインド料理店の記事が載っていた。
　　a．読むべく　　b．読みがてら　　c．読むともなく　　d．読みながらに

11．楽しい時間というものは、矢（　　）速さで、あっと言う間に過ぎていくものだ。
　　a．のごとき　　b．ならではの　　c．としての　　d．なりの

12．街角で見かけた占い師は、帽子から靴まで白（　　）だった。
　　a．まみれ　　b．だらけ　　c．ずくめ　　d．かぎり

13. そのバスケットボール選手は生まれ（　　　）、素晴らしい反射神経を備えていた。
    a. ながらも　　　b. ならでは　　　c. ながらに　　　d. なりに
14. 交通事故を減らすためにも、運転する者一人一人が交通規則（　　　）運転をすべきである。
    a. に伴った　　　b. にかかわる　　　c. にたえる　　　d. に則した
15. 彼は今回の作品は、自分自身でも満足する（　　　）かなりのできだと言っていた。
    a. にたる　　　b. にたらない　　　c. にあたる　　　d. にあたらない
16. 彼はいつも冗談（　　　）言い方をするので、今度もどこまで本気なのかわからない。
    a. がちな　　　b. めいた　　　c. ぎみな　　　d. げな
17. この件に関しての詳しい内容は、後日文書（　　　）お知らせします。
    a. をもって　　　b. をおいて　　　c. によると　　　d. を問わず

第4章　実戦問題

次の文の（　　）に最も適当なものをa～dの中から選びなさい。

1．彼は油（　　）になりながら、もう3時間も車の修理をしている。
　　a．ぎみ　　　　　　b．くさく　　　　　c．まみれ　　　　　d．ずくめ

2．電車で、隣に座っている高校生たちの会話を（　　）聞いていると、高校時代が懐かしく思い出された。
　　a．聞くともなしに　　　　　　　　　　b．聞くこともせずに
　　c．聞かないまでも　　　　　　　　　　d．聞かないながらも

3．吹く風に暖かさが感じられ、桜のつぼみもふくらんで、最近めっきり春（　　）きました。
　　a．っぽく　　　　b．めいて　　　　　c．ぎみに　　　　　d．らしく

4．この度、我が社（　　）アイディアを凝らした新製品が発売されることになりました。
　　a．ながらに　　　b．なりに　　　　　c．しだいに　　　　d．どおりに

5．今の防災対策には不備が多い。現状（　　）新たな対策を整える必要がある。
　　a．にてない　　　b．とともに　　　　c．にそくして　　　d．とあいまって

6．彼女の手料理は、みんなを十分満足させるに（　　）ものであった。
　　a．なる　　　　　b．たる　　　　　　c．だけ　　　　　　d．あう

7．被災者たちは一刻も早く救援物資を送ってほしいと、涙（　　）訴えた。
　　a．ばかりに　　　b．まみれに　　　　c．かぎりに　　　　d．ながらに

8．あの画家は今回の個展でも大成功を収めたそうだ。彼の才能（　　）すれば、当然の成果だろう。
　　a．をもって　　　b．をとって　　　　c．にとって　　　　d．になって

9．その子は親の姿が見えなくなり、今にも（　　）ばかりの様子だった。
　　a．泣き出すと　　b．泣き出さん　　　c．泣き出そう　　　d．泣き出した

10．カラオケで佐藤さんはマイクを渡されると、（　　）とばかりに得意な歌を歌い出した。
　　a．待ちました　　b．待ってください　c．待っています　　d．待っていました

11．彼女はまるで自分には責任がない（　　）、すました顔をしている。
　　a．かなにか　　　b．かどうか　　　　c．かのごとく　　　d．かといって

12. ことここに至っては、もう我々だけではどう（　　　）。
    a. にもできない　　b. もできよう　　c. にもなろう　　d. でもならない
13. 我がチームの実力をもってすれば、今度の相手チームなど（　　　）足りない。
    a. 恐れては　　　　b. 恐れるに　　　c. 恐れても　　　d. 恐れるにも
14. 資金も援助もない状況に（　　　）、彼は新しいビジネスを見事に成功させた。
    a. あって　　　　　b. とって　　　　c. よって　　　　d. つれて

その機能語が出題された年度
【1997】1．2．【1998】3．4．5．6．7．【1999】8．9．【2000】10．11．12．
【2002】13．14．

読みましょう⑩　ラグビー

54 ～ずくめ・53 ～ごとき／ごとく・55 ～っぱなし・66 ～まみれ・69 ～んばかりに
56 ～とばかりに・62 ～にそくして・59 ～なりに・58 ～ながらに・65 ～に足る・
67 ～めく

　今日はいよいよ県高校ラグビー決勝大会の日である。この試合を限りに、我々３年生はラグビー部を引退することになっている。最後にして、最大の試合なのだ。相手は県下でも最有力視されているＫ校チームである。
　試合は相手側の攻撃から始まった。相手チームは黒ずくめのユニフォーム。まるで、黒色軍団とでも言えそうな、大きな体格の選手たちからアタックされると、体ごと吹っ飛んでしまいそうだ。押し寄せる怒涛のごとき攻撃に、我がチームは押されっぱなしである。
　前半戦が終わる頃からぽつりぽつりと降り出した雨が、後半戦に入って、本降りになった。皆、泥まみれになりながら、奮戦している。スタンドでは、クラスメートたちが冷たい雨もかまわず、声もかれんばかりに応援してくれている。トランペットの高らかな音が、疲れの出始めた僕らを鼓舞するごとくに響き渡る。
　気力を取り戻した僕の前にボールが転がってきた。チャンスだ。すかさず拾い上げ、この時とばかりにゴールに走り込んだ。貴重な得点をあげた後は、心に余裕ができたのだろう。全員の動きがスムーズになった。状況に即して素早く対応し、少しずつ相手チームのすきをつき、得点を重ねて、とうとう同点に追いついた。
　と、その時、試合終了の笛がなった。時間切れだ。しかし、試合は引き分けというわけにはいかない。ルールに則して、キャプテン同士のくじ引きによって勝敗が決められるのだ。みな祈るがごとき眼差しで、キャプテンの手元を見つめた。
　結果は…負けだった。不運にも、くじ引きに負けはしたが、僕らはゲームには敗れていない。むしろ、最後は押していたのだ。僕らなりに全力を尽くして戦ったのだ。チーム全員で輪になり、涙ながらに健闘をたたえあった。監督から「君らの闘志は称賛に足るものであった。」との言葉を頂いた。
　こうして、めっきりと冬めいたこの日、僕らの高校ラグビー生活にピリオドが打たれたのであった。

その他の１級：9 ～を限りに・81 ～にして
２級：～わけにはいかない・～によって

読みましょう⑪　優しい音楽

57 ～ともなしに・**60** ～にあって・**64** ～にたえる・**61** ～に至っては・**68** ～をもって・
63 ～にたえない

　日曜の午後、聞く<u>ともなしに</u>ラジオを聞いていると、優しい音楽が流れてきた。小鳥の声や川のせせらぎを思わせる音なども交じった不思議な曲である。目を閉じて聞いていると、どこか高原の澄み切った空気の中にたたずんでいるような気分になってくる。
　曲が終わって、作曲者の紹介があった。視覚障害というハンディキャップを負った青年ということである。彼は幼い時から風や水、鳥など周囲の自然の音に非常な興味を示し、それらを即興のメロディーにして口ずさんでいたそうだ。両親は息子の感受性や才能を信じ、音楽家に指導を依頼した。訓練は常に順調というわけではなかったが、その過程<u>にあって</u>希望を失わず、一つまた一つと曲を作っていくうちに、人々の鑑賞<u>にたえる</u>作品が生み出されるようになったという。
　この間の家族の協力は並たいていのものではなかったようだ。ことに母親<u>に至っては</u>、昼夜を問わず、息子と苦楽を共にしてきたという。今、青年は困難を乗り越えて到達した、喜びに満ちた爽やかな境地を、その曲<u>をもって</u>語っている。
　昨今の家族の崩壊に伴う家庭内暴力事件など、聞く<u>にたえない</u>ニュースの多い中でこの青年と家族の話を聞き、その美しい曲と相まって、わたしの心には一筋の暖かい光が射し込んできたようだった。

その他の1級：36 ～と相まって
2級：～わけではない・～うちに・～を問わず

第5章
強調する表現

5-1 語句を強調する表現
5-2 状況を強調する表現

---

70 〜あっての・71 〜からある／〜からの・72 〜ごとき・
73 〜(で)すら・74 ただ〜のみ・75 〜だに・76 〜たりとも・
77 〜たる・78 〜でなくてなんだろう／〜でなくてなんであろう・
79 〜ときたら・80 〜とは・81 〜にして・82 〜ばこそ・83 〜まじき・
84 〜をおいて・85 〜んがため(に)／〜んがための・86 〜かぎりだ・
87 〜極(きわ)まる／〜極まりない・88 〜にたえない・89 〜の至(いた)り・
90 〜の極み

5-1 語句を強調する表現

70 〜あっての

> **意味** 〜があるからこそ
> 「AあってのB」の形で用いられ、「AがあるからこそBの存在がある」の意味。
> **接続** ［名1］＋あっての＋［名2］

① 日々(ひび)の練習あっての勝利だ。
② お客様あってのこの店なんだから、常(つね)にサービス向上を心がけなくては。

● **慣用**「命あっての物種(ものだね)」
　〈何をしても、何が得(え)られても、命を失っては何もならない。〉
　・そんな危険なことをするものではない。命あっての物種だ。

71 〜からある／〜からの

> **意味** 〜もある　大きい、多い、重い、長いなどの内容を強調する表現。
> **接続** ［名］＋からある／〜からの＋［名］

① その男は30キロからある荷物をひょいと肩に担(かつ)いだ。
② 山道で長さ3メートルからある蛇(へび)に出くわした。
③ 彼女は5億円からの遺産(いさん)を相続(そうぞく)したそうだ。

注意 具体的な数量を表す名詞と共に用いられる。

参考 値段を言う時は「〜からする／〜からの」を用いる。
　・訪問販売の勧めに乗って、10万円からする化粧品(けしょうひん)を買ってしまった。

72 〜ごとき

> **意味** 〜なんか・〜など　対象(たいしょう)を否定的にとらえて表現する時に用いる。
> **接続** ［名］＋ごとき

① おれの気持ちがお前ごときにわかるものか。
② わたしごとき未熟者(みじゅくもの)にこんな大きな仕事ができるのかと心配です。
③ 後輩(こうはい)の山田ごときに馬鹿(ばか)にされては、もう黙(だま)っていられない。

参考 53 〜ごとき（様子(ようす)・状態）

73 〜(で)すら

意味 〜さえ　強調の表現。

接続 [名] + (で)すら

① 彼女は寝る時間すら惜しんで、研究に没頭している。
② 疲れて、立っていることすらできなかった。
③ そんな易しい漢字は、小学生ですら読める。

類語 ★2級 〜さえ

74 ただ〜のみ

意味 〜だけ　「ただ」がつくと、より強調する表現となる。

接続 ただ + { [動-辞書形] / [い形-い] / [名] } + のみ

① 今はただ事故にあった方々の無事を祈るのみです。
② 祖母にとっては、ただ苦しいのみの人生だったのだろうか。
③ 親友が転校してしまい、わたしの心にはただ寂しさのみが残った。

参考 40 ただ〜のみならず（比較・対照）

75 〜だに

A 意味 〜だけでも　強調の表現。文語体。

接続 [動-辞書形] + だに

① 科学の力で同じ遺伝子を持つ人間を造り出すなど、考えるだに恐ろしいことだ。

注意 上の例のほかに「想像する」「思い出す」「思う」「聞く」「口に出す」などの限られた動詞と共に用いられる。

B 意味 〜さえ　普通「〜だに…ない」の形をとり、「〜さえも…ない」の意味。文語体。

接続 [名] + だに

① 人類が月に行ける日がくるなんて、100年前には想像だにしなかったことだ。
② 炎暑の午後、風もなく、樹々の葉は微動だにしない。

注意 上の例のほかに「振り向き」「一顧」などの限られた名詞と共に用いられる。

慣用 「夢にだに思わなかった。」〈全く思わなかった。〉
「一瞥だにしない。」〈全く見ることもしない。〉

類語 ★2級 〜さえ

70

1．次の文の（　）に最も適当なものを下のa～cの中から選びなさい。

1）（　　　）あっての仕事ですから、無理はしないようにしています。
　　a．休日　　　　　　　b．健康　　　　　　　c．商売

2）そんなに驚くことはない。日々の努力あっての、今回の（　　　）だ。
　　a．始末　　　　　　　b．結末　　　　　　　c．成功

3）（　　　）あっての舞台なのだから、楽しんでもらえるように精一杯演じよう。
　　a．観客　　　　　　　b．読者　　　　　　　c．役者

2．次の文の＿＿＿に適当な言葉を入れなさい。

1）どんなに給料がよくても、そんな危険な仕事はお断りだよ。
「＿＿＿＿＿＿＿あっての物種」って言うからね。

2）ありがとうございました。今回の選挙は皆様のご協力あっての＿＿＿＿＿＿＿＿です。

3）ファンあってのプロのチームなのだから、ファンを＿＿＿＿＿＿＿。

71

1．次の文の（　）に適当ものをa～cの中から選びなさい。

1）彼女の家はうわさによると、（　　　）からある豪邸だそうだ。
　　a．広い庭　　　　　　b．多くの部屋　　　　c．20室

2）読書好きの彼女は500ページからの小説を（　　　）読んでしまいました。
　　a．長い時間をかけて　　b．一晩で　　　　　　c．1週間かかって

3）彼は学生の身でありながら1台500万円（　　　）高級車を乗り回している。
　　a．からある　　　　　b．からなる　　　　　c．からする

2．次の文の＿＿＿に適当な言葉を入れなさい。

1）1級試験に合格するためには、2,000字からある漢字を＿＿＿＿＿＿＿ならない。

2）新婚旅行とあって、彼らは奮発して1泊＿＿＿＿＿＿からする一流ホテルを予約した。

3）その家は、なんと＿＿＿＿＿＿＿からの大家族だ。

72

1．次の文の（　）に最も適当なものをa～cの中から選びなさい。

1）先月入ったばかりの（　　　）ごときに、偉そうに指図などされたくはない。
　　a．新入りだ　　　　　b．新入り　　　　　　c．新入りの

2）たかが（　　　）ごときに、大の大人が敗れるとは信じられない。
　　a．10歳の子供　　　　b．大学の教授　　　　c．スポーツマン

2．次の文の＿＿＿に適当な言葉を入れなさい。

1）一介の平社員ごときが、社長に対して＿＿＿＿＿＿＿は、とても考えられない。

2）私ごとき素人が、プロに勝てるとは夢にも＿＿＿＿＿＿＿。

73

1．次の文の（　）に最も適当なものをa～cの中から選びなさい。
1）日本人ですら、敬語の使い方をよく（　　　）のだから、ましてや外国人には大変だろう。
　　a．覚える　　　　　b．間違える　　　　c．知っている
2）手が痛くて、はしを（　　　）すらできない。
　　a．持てる　　　　　b．持つ　　　　　　c．持つこと

2．次の文の＿＿＿＿に適当な言葉を入れなさい。
1）その荷物は＿＿＿＿＿＿＿＿ですら重いのに、子供が一人でよく運べたものだ。
2）日本語能力試験1級に見事に合格した彼女も、日本へ来たばかりのころは、平仮名すら＿＿＿＿＿＿＿＿。

74

1．次の文の（　）に最も適当なものをa～cの中から選びなさい。
1）成功するためにはただ（　　　）のみだ。
　　a．努力あれば　　　b．努力あって　　　c．努力ある
2）親として、ただ子供の（　　　）のみを願っています。
　　a．幸せ　　　　　　b．幸せな　　　　　c．幸せを

2．次の文の＿＿＿＿に適当な言葉を入れなさい。
1）思い切ってプロポーズした。あとはただ彼女の返事を＿＿＿＿＿＿＿＿のみだ。
2）やるだけのことはやった。あとはただ神に成功を＿＿＿＿＿＿＿＿のみだ。
3）いくら口先で、「やる」と言っても信用されない。何事も＿＿＿＿＿＿＿＿あるのみだ。

75

1．次の文の（　）に最も適当なものをa～cの中から選びなさい。
1）手術が終わって、もう大丈夫だと安心していたのに、まさかこんなに急に病状が悪化するとは、想像だに（　　　）。
　　a．していた　　　　b．しなかった　　　c．しただろう
2）「もし、東京に大地震が起こったら」など、（　　　）恐ろしいことだ。
　　a．考えてだに　　　b．考えるだに　　　c．考えただに

2．次の文の＿＿＿＿に適当な言葉を入れなさい。
1）子供の頃小さくて体の弱かったあの子が、まさかオリンピックの選手に選ばれるとは、夢にだに＿＿＿＿＿＿＿＿。
2）わたしたちを裏切ったあんな奴のことなど、口にするだに＿＿＿＿＿＿＿＿。

76 〜たりとも 固

意味 〜であっても
わずか、少ない、小さい、弱いなどを強調する表現。文語体。

接続 ［名］＋たりとも

① もう時間がない。1分たりとも無駄にできない。
② 国連総会では、小国たりとも平等に議決権を有している。

77 〜たる 固

意味 〜である
話し手が、ある立場を取り上げ、それにふさわしくあるべきだという気持ちを持っている時に用いる表現。文語体。

接続 ［名］＋たる

① 教師たる者、学生に対して常に公平でなければならない。
② 私利を求める者に、政治家たる資格はない。
③ 経営者は常に意欲溢れる人格者たるべし。

78 〜でなくてなんだろう／〜でなくてなんであろう 固

意味 〜以外のこと／ものだとは考えられない・絶対に〜だ
話し手が強くそう思っている時に用いる表現。

接続 ［名］＋でなくてなんだろう／でなくてなんであろう

① 自分の命を犠牲にして多くの人を救ったあの男が英雄でなくてなんだろう。
② 少年犯罪やいじめ、これらが日本の教育のひずみでなくてなんであろう。

79 〜ときたら

意味 〜は　話し手が特に話題として取り上げる時に用いる表現。
後ろの文に否定的、非難の内容がくることが多い。

接続 ［名］＋ときたら

① あいつときたら、いつも遅れてくるんだから。頭にくるよ。
② 隣の犬ときたら、人が通る度にキャンキャン吠えて、うるさくてたまりません。

80 〜とは

意味 〜なんて　そのことを取り立てて強調する表現。

接続 ［動・い形・な形・名］の普通形＋とは
ただし、［な形］と［名］の「だ」はつかないこともある。

① こんな失敗をするとは、我ながら情けない。
② コーヒー1杯で2,000円とは、いくらなんでも高すぎる。

注意 「〜とは。」と後ろを省略することもある。「もう4月だというのに、こんなに寒いとは。」

81 〜にして

A 接続 ［名］＋にして

意味 〜だからこそ・〜であっても
「〜」の部分には話し手が、程度が高いまたはよいと思っているものがくる。
「〜だからこそ」の意味に用いる時は、後ろに「はじめて」、「ようやく」などの語を伴うことが多い。

① この味は経験を積んだプロの料理人にしてはじめて出せる味だ。
② 秀才の彼女にして解けない問題なのだから、凡才のわたしに解けるわけがない。

B 接続 ［名］
　　　　［な形－○］＋にして

意味 1 〜であってそして・〜だが、しかし　順接、逆接どちらの意味にも用いる。
　　　　2 〜という状態・状況で

1 ① 彼は出版社の社長にして詩人でもある。
　② 信じ難いことだが、歌手にして、楽譜の読めない人もいるという。
　③ 彼女は有能にして、実行力のある人物だ。
2 ① 震度8の地震に襲われ、その建物は一瞬にして崩れ落ちた。
　② 幸いにして、少年は崩れた家の下から無事に救助された。

第5章　練習 76-78

76

1．次の文の（　）に最も適当なものをa～cの中から選びなさい。
1) 明日は大切な面接試験だ。（　　　）たりとも遅れるわけにはいかない。
　　a．1分　　　　　　　b．1時間　　　　　　c．1日
2) 人々の善意によって寄せられたお金だから、1円たりとも（　　　）。
　　a．役に立たない　　　b．ほしくない　　　　c．無駄にはできない
3) たとえ（　　　）たりとも、警官として罪を見逃すわけにはいかない。
　　a．大の大人　　　　　b．幼い子供　　　　　c．犯罪者

2．次の文の＿＿＿に適当な言葉を入れなさい。
1) 遠く離れていても、愛する家族のことは1日たりとも＿＿＿＿＿＿＿＿。
2) この重大な秘密は、ほかの者には＿＿＿＿＿＿＿＿たりとも話してはならない。

77

1．次の文の（　）に最も適当なものをa～cの中から選びなさい。
1) 一流企業たるためには優れた経営者が（　　　）。
　　a．経営しかねる　　　b．活躍できる　　　　c．必要とされる
2) 一国の首相たるもの、自らの政策の失敗について言い訳など（　　　）。
　　a．すべきではない　　b．せざるを得ない　　c．しないこともない

2．次の文の＿＿＿に適当な言葉を入れなさい。
1) ＿＿＿＿＿＿＿＿たる者の務めとして、子供を健全に育てなければならない。
2) ＿＿＿＿＿＿＿＿たる者、公約を守り常に国民に対して誠実であるべきだ。
3) 医師たる者は、患者の病状のみならず心のケアにも＿＿＿＿＿＿＿＿。

78

1．次の文の＿＿＿の意味に最も近いものをa～cの中から選びなさい。
こんなにも素晴らしい場所が、いわゆる地上の楽園でなくてなんだろう。
　　a．楽園なのだろうか　b．楽園のはずがない　c．まさに楽園といえる

2．次の文の（　）に最も適当なものをa～cの中から選びなさい。
1) 飛行機が墜落したというのに、死者が一人も出なかったとは。これが（　　　）でなくてなんだろう。
　　a．奇跡　　　　　　　b．危険　　　　　　　c．事故
2) 彼女のためなら（　　　）、この気持ちがいったい愛でなくてなんだろう。
　　a．何か買ってあげる　b．命も惜しくない　　c．付き合いたくない
3) みんなであの子の持ち物を隠したり、からかったり、これが（　　　）でなくてなんだろうか。
　　a．いじめ　　　　　　b．いじめる　　　　　c．いじめた

79

次の文の（　）に最も適当なものをa～cの中から選びなさい。

1）大学受験のための勉強ときたら、（　　　）。
   a. 毎日9時から12時30分までだ　　b. 覚えることが山ほどあって大変だ
   c. 一生懸命にやっている

2）最近の携帯電話ときたら、いろんな機能がありすぎて（　　　）。
   a. 説明書を読むとよくわかる　　b. とても便利にできている
   c. 使いこなすのは大変だ

3）うちの子供たちときたら、（　　　）。
   a. テレビゲームや漫画に夢中で、ちっとも勉強しない
   b. 勉強だけでなく、スポーツも頑張っている
   c. 最近よく家の手伝いをするようになった

80

次の文の（　）に最も適当なものをa～cの中から選びなさい。

1）今まで怠けてばかりだった彼がこれほど頑張るとは、（　　　）よ。
   a. 予想通りだった　　b. すっかり見直した　　c. 全く嫌になる

2）人がこんなに困っている時に（　　　）とは、なんて薄情な奴だ。
   a. 助けてくれる　　b. 病気になる　　c. 見て見ぬふり

2．次の文の＿＿＿＿に適当な言葉を入れなさい。

1）まだ30歳という若さで＿＿＿＿＿＿＿＿とは。彼のこれからの活躍が期待されるね。

2）この不景気に＿＿＿＿＿＿＿＿とは、また豪勢な話だね。

81

1．次の＿＿＿＿の意味に最も近いものをa～cの中から選びなさい。

1）そんな驚異的な発明は、彼のような天才にしてはじめてできることだ。
   a. 天才がいれば　　b. 天才であっても　　c. 天才だから

2）初日の舞台ではベテラン俳優にして緊張するものだから、新人があがるのは無理もない。
   a. ベテラン俳優だから　b. ベテラン俳優だったら　c. ベテラン俳優なのに

2．次の文の（　）に最も適当なものをa～cの中から選びなさい。

1）だれもが服従するあの権力者に（　　　）とは、大胆にして勇気ある若者だ。
   a. 従う　　b. 協力する　　c. 反抗する

2）かのレオナルド・ダ・ヴィンチは偉大な（　　　）にして科学者でもあった。
   a. イタリア人　　b. 芸術家　　c. 男性

3）あの人はこんな難しい問題も（　　　）にして解いてしまう。
   a. 一瞬　　b. すぐ　　c. 突然

82 ～ばこそ

> **意味** ～からこそ　　原因・理由を強調する表現。
>
> **接続** ［動－ば］
> ［い形－ければ］
> ［な形－であれば］　＋こそ
> ［名－であれば］

① 優勝できたのは、チーム全員の協力があればこそだ。
② 忙しければこそ、集中して少ない時間を有効に使えるのかもしれない。
③ 健康であればこそ、勉学やスポーツに熱中できるというものだ。
④ 彼女が熱心な教師であればこそ、学生も真面目に講義を聞くのです。

類語 ★2級　～からこそ

83 ～まじき

> **意味** 当然～てはいけない・～てはならない
> 　　　　話し手の強い非難や否定的な気持ちを表す時に用いる。文語体。
>
> **接続** ［動－辞書形］＋まじき＋［名］
> 　　　「するまじき」は「すまじき」となることもある。

① 弱い者いじめをするなど、許すまじきことです。
② 多額の賄賂を受け取るなど、大臣にあるまじき行為だ。

● **慣用**「すまじきものは宮仕え」
　〈「官庁や会社勤めなどするものではない。」の意。組織の中で管理体制にしばられて働いている者が嘆く時に用いる。〉

84 ～をおいて

> **意味** ～のほかに
>
> **接続** ［名］＋をおいて
> 　　　「～をおいて～ない」の形で用いることが多い。

① 彼をおいて社長の後継者はいない。
② この仕事を任せられるのは、あなたをおいては考えられない。

● **慣用**「何をおいても」〈「どんな状況でも、ほかのことはそのままにしておいて」の意。〉
　・親が危篤とあれば、何をおいても駆けつけるのが当たり前だ。

85　～んがため(に)／～んがための　固

> **意味**　～しようと思ってそのために　　目的を強調する表現。文語体。
>
> **接続**　[動－ない形]＋ { んがため(に)＋[動] / んがための＋[名] }
>
> 　「する」は「せんがため」となる。

① 試験に合格せんがため、この1年間努力を続けてきた。
② 長年の夢を実現させんがために、留学を決意した。
③ 弱肉強食は生物間のバランスを保たんがための、自然界の法則だ。

5-2　状況を強調する表現

86　～かぎりだ

> **意味**　とても～だ・たいへん～だ　　話し手の感情を表す。
>
> **接続**　[い形－い] / [な形－な]｝＋かぎりだ

① 山道を一人で運転していて途中で日が暮れてしまい、心細いかぎりだった。
② お祝いのパーティーに出席できないとは、残念なかぎりでございます。

!! **注意**　上の例のほかに、「喜ばしい」「腹立たしい」「情けない」「心強い」「うらやましい」などの感情を表す語と共に用いることが多い。

87　～極まる／～極まりない　固

> **意味**　非常に～・とても～・この上なく～
> 　話し手がそのことに対して強い感情を持っている時に用いる。
>
> **接続**　[な形－○]＋極まる／極まりない（＋[名]）
> 　ただし「極まりない」は「[い形－い]／[な形－な]＋こと極まりない」の形でも用いる。

① 信号を無視して突っ走るなんて、危険極まる行為だ。
② 今回はあと一歩のところで優勝を逃してしまい、残念極まりない。
③ 山頂から見た日の出の光景は、美しいこと極まりなかった。

▶ **参考**　「極めて～」〈非常に～〉
　・優勝を逃して、極めて残念だ。

● **慣用**　「感極まる」〈「非常に感激している」の意。〉
　・M選手は引退の挨拶を述べながら、感極まって涙ぐんでしまった。

82

1．次の文の（　）に最も適当なものをa～c中から選びなさい。

1）今回の災害は苦しい経験であればこそ、（　　　）。
　　a．学ぶことも多かった　　b．とてもつらかった　　c．十分注意しよう

2）親は子供のことを（　　　）こそ、口うるさく言うのです。
　　a．心配すれば　　　b．心配したら　　　c．心配して

3）（　　　）こそ、お金の貸し借りはきちんとしておきたい。
　　a．親しいと　　　b．親しければ　　　c．親しくて

2．次の文の＿＿＿に適当な言葉を入れなさい。

1）将来のことを＿＿＿＿＿＿こそ、今一生懸命努力しているのだ。

2）家賃が＿＿＿＿＿＿こそ、駅から遠くても借り手があるのです。

83

1．次の文の＿＿＿の意味に最も近いものをa～cの中から選びなさい。
　　慌てて騒いだり、人を押しのけたりなど、緊急時に取るまじき行動だ。
　　a．してもかまわない　　b．してはいけない　　c．しなくてもいい

2．次の文の＿＿＿に適当な言葉を入れなさい。

1）弱い者を差別したり、いじめたりするなど＿＿＿＿＿＿まじき行為だ。

2）社長の命令を無視するとは、社員に＿＿＿＿＿＿まじき態度だ。

3）自分の家族の秘密など、他人に＿＿＿＿＿＿まじきことだ。

84

1．次の文の＿＿＿の意味に最も近いものをa～cの中から選びなさい。
　　日々の努力の積み重ねをおいて、成功への近道があるだろうか。
　　a．努力の積み重ねだけが成功への近道である
　　b．努力の積み重ねのほかにも成功への近道があるだろう
　　c．努力の積み重ねなどしないで、成功への近道を探そう

2．次の文の＿＿＿に適当な言葉を入れなさい。

1）この証拠をおいて、彼の無実を証明するものは＿＿＿＿＿＿。

2）我が社の次期社長には、彼をおいて適任者は＿＿＿＿＿＿だろう。

3）今の彼女の病気を治す方法は、＿＿＿＿＿＿をおいてほかにはない。

85

1．次の文の＿＿＿の意味に最も近いものをa～cの中から選びなさい。

川に落ちた子供を救助せんがために、その男性はとっさに川に飛び込んだ。

　　a．救助しようと思って　　b．救助したために　　c．救助できなかったので

2．次の文の（　）に最も適当なものをa～cの中から選びなさい。

1）出世せんがため、彼は（　　　）。

　　a．実力があった　　　　b．努力を惜しんだ　　　c．手段を選ばなかった

2）一人息子を大学へ（　　　）がために、父親は懸命に働いている。

　　a．進学させる　　　　　b．進学させよう　　　　c．進学させん

3．次の文の＿＿＿に適当な言葉を入れなさい。

1）将来、希望する仕事に＿＿＿＿＿＿＿がために、今一生懸命勉強している。

2）社長である彼はこの20年間、会社を発展させんがための＿＿＿＿＿＿＿。

86

1．次の文の（　）に最も適当なものをa～cの中から選びなさい。

1）100メートル走ったぐらいで息切れするなんて、我ながら（　　　）。

　　a．体が弱いかぎりだ　　b．情けないかぎりだ　　c．苦しいかぎりだ

2）教え子が、このような素晴らしい賞をいただき、（　　　）かぎりです。

　　a．喜ぶ　　　　　　　　b．喜び　　　　　　　　c．喜ばしい

3）最近お金がかかることばかりで、（　　　）かぎりです。

　　a．憂うつだ　　　　　　b．憂うつな　　　　　　c．憂うつ

2．次の文の＿＿＿に適当な言葉を入れなさい。

1）言葉の通じない外国で一人暮らしを始めて、＿＿＿＿＿＿＿かぎりです。

2）あんなに練習したのに＿＿＿＿＿＿＿なんて、悔しいかぎりです。

87

1．次の文の（　）に最も適当なものをa～cの中から選びなさい。

1）パーティーの主催者の挨拶は、長いばかりで（　　　）極まるものだった。

　　a．退屈で　　　　　　　b．退屈な　　　　　　　c．退屈

2）間違い電話をかけてきて謝りもせずに切るとは、（　　　）極まりない。

　　a．非常識　　　　　　　b．間違い　　　　　　　c．お詫び

3）花嫁は誓いの言葉を述べながら、感極まり、とうとう（　　　）しまった。

　　a．喜んで　　　　　　　b．指輪を交換して　　　c．泣き出して

2．次の文の＿＿＿に適当な言葉を入れなさい。

1）信頼している友達を＿＿＿＿＿＿＿とは、卑劣極まる男だ。

2）暴飲、暴食、睡眠不足と、彼の生活は＿＿＿＿＿＿＿極まりない。

88 ～にたえない 固

意味 ～をとても強く感じる
話し手がそのことに対して強い感情を持っている時に用いる。

接続 ［名］＋にたえない

① 色々お世話になりまして、感謝にたえません。
② 事故にあった方々のことを思うと、同情の念にたえない。

注意 上の例のほかに「感激」「喜び」「後悔の念」などの感情を表す語と共に用いる。

参考 63 ～にたえない（様子・状態）

89 ～の至り 固

意味 非常に～　程度がとても激しいという話し手の気持ちを表す慣用的な表現。

接続 ［名］＋の至り

① こんな立派な賞を頂きまして、光栄の至りです。
② 全社員の前で仕事上の大きなミスを指摘され、赤面の至りだった。

注意 上の例のほかに「感激」「ご同慶」などの感情を表す語と共に用いる。

慣用 「若気の至り」〈若さのせいで無分別な言動をとってしまうこと。〉
　・若気の至りで、あんな大きなことを言ってしまい、本当に恥ずかしい。

90 ～の極み 固

意味 非常に～
「これ以上の～はない」というように、その程度が限度までいっている状態を表す。話し手以外の様子や状態を述べる場合にも用いる。

接続 ［名］＋の極み

① 徹夜続きで、彼らは疲労の極みに達していた。
② 遠いところを私のためにわざわざお越しいただきまして、恐縮の極みでございます。

注意 上の例のほかに「感激」「美」「贅沢」「痛恨」などの語と共に用いることが多い。

88

1．つぎの文の＿＿＿の意味に最も近いものをa～cの中から選びなさい。

1） 私ごときがこのような賞を頂戴し、感激にたえません。

　　a．感激する価値がない　　b．感激が続いている　　c．大変感激している

2） 息子が無事退院できて、親として喜びにたえません。

　　a．喜ぶのを我慢しなければならない。

　　b．うれしいことばかりで、つい笑ってしまう。

　　c．非常にうれしく思っている

2．次の文の（　）に最も適当なものをa～dの中から選びなさい。

1） いろいろとお世話になり、感謝の念（　　）たえません。

　　a．が　　　　b．に　　　　c．を　　　　d．で

2） この度、我が社の監督不行き届きからこのような大事故を引き起こしましたことは、誠に（　　）にたえません。

　　a．遺憾　　　b．不幸　　　c．同情　　　d．悲劇

89

1．次の文の（　）に最も適当なものをa～cの中から選びなさい。

1） 大勢の人の前であんな失敗をしてしまい、本当に（　　）至りです。

　　a．赤面に　　　　b．赤面で　　　　c．赤面の

2） あの時は（　　）至りで、つい羽目をはずし、とんだ失礼をいたしました。

　　a．若気の　　　　b．若い　　　　c．若すぎる

3） 今回このような（　　）をいただき、まことに光栄の至りでございます。

　　a．高い給料　　　b．素晴らしい賞　　　c．お詫びの言葉

2．次の文の＿＿＿に適当な言葉を入れなさい。

1） 50年ぶりに学生時代の親友と再会できるとは、＿＿＿＿＿＿の至りだ。

2） 皆様の暖かいご支援のおかげで今回トップ当選することができ、＿＿＿＿＿の至りです。

90

1．次の文の（　）に最も適当なものをa～cの中から選びなさい。

1） 長年連れ添った妻に（　　）、彼は今まさに悲しみの極みにある。

　　a．先立たれて　　　b．騙されて　　　c．泣かれて

2） 豪華客船で世界一周なんて、（　　）極みですね。

　　a．うれしい　　　　b．贅沢の　　　　c．うらやましい

2．次の文の＿＿＿に適当な言葉を入れなさい。

1） 大勢の人々に祝福されて、花嫁は＿＿＿＿＿＿極みだったにちがいない。

2） 2日間一睡もせず母親の看病を続けた彼女は、＿＿＿＿＿＿極みに達していた。

第5章　確認問題（70〜90）

次の文の（　　）に最も適当なものをa〜dの中から選びなさい。

1．するべき練習はすべてした。あとはただ全力を出して試合に臨む（　　）だ。
　　a．ほど　　　　　b．なり　　　　　c．ゆえ　　　　　d．のみ
2．すっかり弱り切ったその患者は、話すこと（　　）苦しそうだった。
　　a．こそ　　　　　b．すら　　　　　c．だけ　　　　　d．のみ
3．こんな簡単な仕事さえも最後までできないとは、我が子ながら情けない（　　）だ。
　　a．きり　　　　　b．わけ　　　　　c．かぎり　　　　d．ところ
4．あのクリーニング屋（　　）、汚れも落ちていないし、時間もかかるし、二度と頼みたくない。
　　a．だけに　　　　b．ときたら　　　c．とはいえ　　　d．としたところで
5．なぜあのようなことをしてしまったのか、我ながら後悔の念に（　　）。
　　a．かたくない　　b．禁じえない　　c．たえない　　　d．すまない
6．まさかわたしが代表に選ばれる（　　）、夢にも思いませんでした。
　　a．とは　　　　　b．のは　　　　　c．すら　　　　　d．ゆえ
7．たいして親しいわけでもないのに、夜中に突然訪ねて来るなんて彼は非常識（　　）。
　　a．かぎりだ　　　　　　　　　　　b．にあたらない
　　c．極まりない　　　　　　　　　　d．のきらいがある
8．この世界に飢えで亡くなっている人たちがいることを思えば、たった一粒の米（　　）、無駄にしてはならない。
　　a．たりとも　　　b．ともなると　　c．ときたら　　　d．ならでは
9．あなたのことを信頼すれば（　　）この仕事を頼むんです。
　　a．さえ　　　　　b．ゆえ　　　　　c．すら　　　　　d．こそ
10．たばこを吸ったり、お酒を飲んだりなど、高校生にある（　　）行為だ。
　　a．べき　　　　　b．べからず　　　c．まじき　　　　d．ごとき
11．わたしのことをこんなに心配してくれるのは、両親（　　）ほかにない。
　　a．をはじめ　　　b．にして　　　　c．を問わず　　　d．をおいて
12．その国では小さな子供たちまでが、（　　）ために必死で働いている。
　　a．生きるべく　　b．生きんが　　　c．生きないが　　d．生きようが

13. まさか人間が宇宙旅行をするようになるとは、100年前の人々は夢に（　　　）思わなかっただろう。
    a. だに　　　　b. ほど　　　　c. のみ　　　　d. まで
14. 一人暮らしの老人をねらって、どこにでもあるような安物を高値で売りつけるとは、これが詐欺（　　　）。
    a. でなくはないだろう　　　　b. でなければならない
    c. でなくてなんだろう　　　　d. でないものでもない
15. 政治家や官僚たちには常に、「国民（　　　）国家だ」という強い認識を持っていてほしいものだ。
    a. あっても　　b. あっての　　c. あったら　　d. あれば
16. 経営者（　　　）者、常に経済の新たな動向に目を向ける努力が必要であろう。
    a. べき　　　　b. ごとき　　　c. たる　　　　d. めく
17. この公園の2,000本（　　　）バラの花が開くと、あたり一面いい香りに包まれる。
    a. にたる　　　b. あっての　　c. なりの　　　d. からある
18. この素晴らしい記録はオリンピック選手（　　　）はじめて出せるものだ。
    a. にあって　　b. にしては　　c. にして　　　d. にとって
19. このような晴れの席にお招きいただき、光栄（　　　）でございます。
    a. の至り　　　b. で至り　　　c. な至り　　　d. に至り
20. 最近は忙しくて休日出勤も続き、疲労（　　　）に達している。
    a. が極み　　　b. の極み　　　c. を極み　　　d. で極み
21. 私（　　　）にこのような大役が務まるかどうか心配です。
    a. がごとき　　b. のごとく　　c. ごとき　　　d. ごとく
22. 船が大きく傾いたかと思うと、一瞬（　　　）船室に水が流れ込んできた。
    a. とあって　　b. にして　　　c. とばかりに　　d. において

第5章　実戦問題

次の文の（　　）に最も適当なものをa～dの中から選びなさい。

1．年を取ったとはいえ、日本代表だったわたしが彼（　　）素人に負けるわけにはいかない。
　　a．ごとき　　　　b．ごとの　　　　c．ごとく　　　　d．ごとし

2．高校生の息子と（　　）、夏休みも終わったというのに、相変わらず朝寝坊ばかりしている。
　　a．はいえ　　　　b．したら　　　　c．あれば　　　　d．きたら

3．現在このような高度な学問が究められるのも、しっかりした基礎の勉強（　　）ことだ。
　　a．あっては　　　b．あってで　　　c．あっても　　　d．あっての

4．あのような大津波にこの島が襲われた時のことは、思い出す（　　）恐ろしい。
　　a．だの　　　　　b．だに　　　　　c．にも　　　　　d．には

5．先週、高校時代の同窓会があった。そこで恩師に20年ぶりにお会いしたが、今もお元気で教壇に立っていらっしゃるそうで、うれしい（　　）。
　　a．ずくめだ　　　b．ごとくだ　　　c．かぎりだ　　　d．きわみだ

6．彼は大学卒業後ヨーロッパに留学し、50歳に（　　）やっと画家として認められた。
　　a．して　　　　　b．あって　　　　c．よって　　　　d．とって

7．信頼していた友人にまさかこんなひどいことをされる（　　）、夢にも思わなかった。
　　a．とも　　　　　b．にも　　　　　c．とは　　　　　d．かは

8．今はまだつぼみですが、100本（　　）桜の木が一斉に花を咲かせると、それは見事ですよ。
　　a．にもある　　　b．からする　　　c．にもする　　　d．からある

9．国会議員という要職にある彼が酒に酔って暴れている醜態は、全く見るに（　　）姿だ。
　　a．たらない　　　b．たえない　　　c．おえない　　　d．いたらない

10．検察官はその議員の汚職の実態を明白に（　　）、あらゆる捜査を続けている。
　　a．すればこそ　　b．すべからず　　c．せんがため　　d．せざるべく

11. 弁護士（　　　）者、どのような時にも、依頼人のプライバシーを厳守しなければならない。
    a. なる　　　b. たる　　　c. ある　　　d. いる

12. 登頂の準備はすべて終わった。あとはただ天候の回復を待つ（　　　）。
    a. のみだ　　　b. きりだ　　　c. ほどだ　　　d. ところだ

13. 教師は学生のためを（　　　）、遅刻や欠席など生活面においても厳しく指導しているのです。
    a. 思いがてら　　　b. 思えばこそ　　　c. 思ったまで　　　d. 思うなりに

14. さすが昨年の優勝チームだけある。相手チームには1点（　　　）得点を与えなかった。
    a. ばかりか　　　b. ときたら　　　c. たりとも　　　d. からある

15. もし家を建てるなら、通勤にも便利だし環境もいいし、この場所（　　　）ほかには考えられない。
    a. はおろか　　　b. ときたら　　　c. にかぎって　　　d. をおいて

16. 彼女がしたことは、警察官としてある（　　　）恥ずべきことです。
    a. べき　　　b. まじき　　　c. ごとき　　　d. ゆえに

17. 遮断機の下りかかった踏切を渡ろうとするなど、危険（　　　）行為だ。
    a. にいたらない　　　b. にたえない　　　c. かぎりない　　　d. きわまりない

18. なかなか手に入らないコンサートのチケットを手に入れた。彼の演奏を生で聴けるとは、感動の（　　　）。
    a. ごときだ　　　b. ことだ　　　c. きわみだ　　　d. ところだ

19. この豊かな時代に食べる物がなくて死んでいく子どもが大勢いるなんて、これが悲劇（　　　）。
    a. にはあたらない　　　b. でなくてなんだろう　　　c. だといったところだ　　　d. にたえない

その機能語が出題された年度
【1997】1. 2. 3. 4.　【1998】5. 6.　【1999】7. 8. 9.　【2000】10. 11. 12.
【2001】13.　【2002】14. 15.　【2003】16. 17. 18. 19.

読みましょう⑫　　卒業式

84 〜をおいて・80 〜とは・75 〜だに・73 〜すら・74 ただ〜のみ・85 〜んがために・
86 〜かぎりだ・89 〜の至り・87 〜極まる・88 〜にたえない

　大学の卒業式を数週間後に控えたある日、私は主任教授の田中先生に呼ばれました。研究室に伺うと、先生は笑顔で「卒業式の総代に君を推薦したよ。ほかの先生方も、総代は君をおいてほかには考えられないと賛成してくれたんだ。」とおっしゃいました。

　留学生である私が総代に選ばれるとは、全く予想だにしていませんでした。この4年間、同じ学部の日本人学生と全く同じ条件のもとで勉強を続けてきましたが、言葉のハンデを克服すべく、寝る時間すら惜しんで勉学に励み、ただ努力あるのみの日々でした。

　式の当日、壇上に立つと、学長から

「あなたは留学生として来日し、その目的を達せんがために、人一倍の努力を続けてきました。その結果が見事に実って、優秀な成績で総代を務めることとなりました。喜ばしいかぎりです。」

とのお言葉を頂きました。

　全学生の見守る中、総代としての務めを果たし、光栄の至りでした。また国から晴れの姿を一目見ようと駆けつけてくれた両親も感極まった様子でした。ここまでわたしを指導してくださった先生方や、支えてくれた友人たちには本当に感謝にたえません。

　その他の1級：22 〜べく
　2級：〜のもとで・〜として

読みましょう⑬　　外国人力士

71 ～からある・82 ～ばこそ・81 ～にして・78 ～でなくてなんであろう・
70 ～あっての

　相撲は古来、日本の国技であるが、最近は外国人力士の活躍が目立っている。
　200キロからある巨体を生かして、力強い押し出しの技を得意とする力士もいれば、自国の伝統的な格闘競技で鍛えた技あればこそのスピード感あふれる取組を見せてくれる力士もいる。連続優勝を果たし、入幕3年目にして横綱の地位にまで上った者もいる。
　日本の国技、相撲の土俵上で世界各国出身の力士の取組を見る日が来るとは、一昔前には想像だにできなかったことだ。このように異国の地で大活躍する彼らが、郷土の英雄でなくてなんであろう！　彼らの成功はただ個々の特性のみならず、日頃の厳しい鍛錬あってのものであることは言うまでもない。

その他の1級：80 ～とは・75 ～だに・40 ただ～のみならず・97 ～までもない

読みましょう⑭　　国民の怒り

79 〜ときたら・83 〜まじき・76 〜たりとも・72 〜ごとき・90 〜の極み・
70 〜あっての・77 〜たる

　新聞第1面の見出しに「＊＊国会議員、汚職容疑…」の文字が躍っている。ああ、またか、と暗い気持ちで読み進む。その発言ときたら、自分の行為を正当化するばかりで、全く論理性を欠いている。
　地位を利用して賄賂を受け取るなど、許すまじき行為である。不明朗な金銭は1円たりとも受け取ってはならないと、彼らは肝に銘じるべきだ。我々は私腹を肥やす「政治屋」ごときに、大事な国政を任せるわけにはいかない。
　彼らは国民が怒りの極みにあることに気付くべきだ。国民の支持あっての政治活動である。選ばれた者として、その信頼に応えることが、政治家たる者の第一の務めであるはずだ。

2級：〜など・〜べきだ・〜わけにはいかない・〜として

第6章
否定の形をとる表現

6-1　否定の形
6-2　二重否定の形

---

91 〜てやまない・92 〜といったら(ありはし)ない・
93 〜に(は)あたらない・94 〜にかたくない・95 〜べからざる・
96 〜べからず・97 〜までもない／〜までもなく・98 〜を禁じ得ない・
99 〜ずにはおかない・100 〜ずにはすまない・
101 〜ないではおかない・102 〜ないではすまない・
103 〜ないものでもない

6-1 否定の形

91 〜てやまない 固

意味 とても〜する
深く強くその気持ちを持っており、いつまでもそう思うということを表す。

接続 ［動−て形］＋やまない

① 君たちの努力を期待してやまない。
② お二人の幸せをお祈りしてやみません。
③ その著名な詩人は、故郷の山河を愛してやまなかった。

注意 上の例のほかに「願う」「後悔する」などの動詞と共に用いられることが多い。

92 〜といったら（ありはし）ない

意味 とても〜だ　話し手が、その状態の程度が極端だと強く感じている時の表現。
くだけた話し言葉では「〜といったらありゃしない」、「〜ったら（ありゃし）ない」もよく使うが、その場合はあまりよくない内容を表す。

接続
［い形−い］
［な形−（だ）］ ＋といったら（ありはし）ない
［名−（だ）］

ただし、［名］は「程度」を表すことのできる特殊なものに限る。

① 飛行機の窓から見えたオーロラの美しさといったらなかった。
② うちのおばは何にでも口を出す。本当にお節介だといったらありはしない。
③ 1週間もお風呂に入らないんだもの、汚いといったらありゃしない。

93 〜に（は）あたらない

意味 〜に（は）適さない・〜に（は）及ばない・〜必要はない

接続
［動−辞書形］
［名］ ＋に（は）あたらない

① 彼の実力を考えると、今回の受賞も驚くにあたらない。
② 大口の寄付をしても、節税のためならば、その行為は称賛にはあたらないだろう。
③ 子供はさまざまな経験を重ねながら大きくなっていくものなのだから、少々の失敗は心配するにはあたりません。

94 〜にかたくない

- **意味** 簡単に〜できる
- **接続** ［動－辞書形］／［名］＋にかたくない

① 突然の事故で子供を亡くした親の悲しみは、察するにかたくない。
② 宇宙飛行士の長期間の訓練にはいかに苦労が多いか、想像にかたくない。

注意 上の例のような限られた語と共に慣用的に用いられる。

95 〜べからざる

- **意味** 〜べきではない・〜てはいけない・〜のは適当でない
- **接続** ［動－辞書形］＋べからざる＋［名］
  「するべからざる」は「すべからざる」となることもある。

① 仕事熱心なK氏は我が社の発展に、欠くべからざる人物だ。
② 口にすべからざることを言ってしまい、彼とは絶交状態になってしまった。

参考 22 〜べく（目的）・96 〜べからず（禁止）・★ 2級 〜べきだ

96 〜べからず

- **意味** 〜てはいけない
  掲示、看板、立て札などに用いられる禁止の表現。
- **接続** ［動－辞書形］＋べからず
  「するべからず」は「すべからず」となることもある。

① 芝生に立ち入るべからず。
② 池の魚をとるべからず。

参考 22 〜べく（目的）・95 〜べからざる（否定）・★ 2級 〜べきだ

第6章 練習91-93

[91]

1．次の文の＿＿＿の意味に最も近いものをa～cの中から選びなさい。

親は自分の子供の幸せを願ってやまないものです。

　a．いつも願っている　　b．願おうと思う　　c．願っても仕方がない

2．次の文の＿＿＿に適当な言葉を入れなさい。

1）お世話になった先生のご健康を＿＿＿＿＿＿＿やみません。

2）これからの世の中をどれだけよくしていくことができるのか、若い人たちの活躍に＿＿＿＿＿＿＿やみません。

3）なぜあの時、あんな愚かな決断をしてしまったのか、今でも＿＿＿＿＿＿＿やまない。

[92]

1．次の文の＿＿＿の言葉の意味に最も近いものをa～cの中から選びなさい。

「ああしろ、こうしろ」とうちの親はうるさいといったらない。

　a．うるさいと言えば、言うのをやめる

　b．うるさくてたまらない

　c．うるさいのでどこかへ行ってしまった

2．次の文の（　）に最も適当なものをa～cの中から選びなさい。

1）こんな簡単なことさえ覚えられないとは、我ながら（　　）といったらない。

　a．情けなく　　　　b．情けなくて　　　c．情けない

2）小さな犬にさえ怯えるなんて、まったく彼は（　　）といったらないね。

　a．怖がり　　　　　b．怖い　　　　　　c．怖がった

3）いくら断ってもわからないなんて、あいつは（　　）ったらありゃしない。

　a．鈍感で　　　　　b．鈍感な　　　　　c．鈍感だ

[93]

1．次の文の（　）に最も適当なものをa～cの中から選びなさい。

1）たとえ結果がどうあろうと全力を（　　）、恥じるにはあたらない。

　a．尽くせば　　　　b．尽くさなければ　　c．尽くしても

2）「あの本は買ってまで（　　）にあたらない」と、友人が言っていた。

　a．読め　　　　　　b．読んだ　　　　　c．読む

3）これはあなたがした仕事に対する当然の報酬ですから、（　　）にはあたりません。

　a．要求する　　　　b．遠慮する　　　　c．受け取る

2．次の文の＿＿＿に適当な言葉を入れなさい。

1）一度くらい大学受験に失敗したからといって、＿＿＿＿＿＿＿するにはあたらない。来年、また頑張ればいい。

2）その事実は以前から＿＿＿＿＿＿＿ことだ。今さら驚くにあたらない。

94

1．次の文の＿＿＿の意味に最も近いものをa～cの中から選びなさい。

彼女の態度を見れば、彼に対する気持ちは想像するにかたくない。

 a．想像することは簡単ではない

 b．たやすく想像することができる

 c．想像してみても仕方がない

2．次の文の（　）に最も適当なものをa～cの中から選びなさい。

1）わたしは10年来の友人として、今の彼の気持ちは（　　）かたくない。

 a．察すると　　　b．察すれば　　　c．察するに

2）彼の日頃の成績からすれば、志望校合格は（　　）にかたくありません。

 a．想像　　　　b．期待　　　　c．希望

95

1．次の文の（　）に最も適当なものをa～cの中から選びなさい。

1）国民を犠牲にして私腹を肥やすなど、政治家に（　　）べからざる行為だ。

 a．あった　　　b．ある　　　c．あって

2）これは人々を不安にし社会に大きな影響を与える、（　　）べからざる犯罪である。

 a．許す　　　　b．許し　　　c．許さず

2．次の文＿＿＿に適当な言葉を入れなさい。

1）つい口が滑って、＿＿＿＿＿＿＿＿べからざることを言ってしまった。

2）いかに報道の自由が認められている社会であっても、個人の＿＿＿＿＿＿＿＿は侵すべからざるものである。

96

1．次の文の＿＿＿の意味に最も近いものをa～cの中から選びなさい。

授業中は日本語以外の言葉で話すべからず。

 a．日本語で話すことができません

 b．日本語だけで話さなければなりません

 c．日本語以外の言葉で話しなさい

2．次の文＿＿＿に適当な言葉を入れなさい。

1）入口の所に「ここに車を＿＿＿＿＿＿＿＿べからず」と書いた張り紙がしてある。

2）よく公園などで「芝生に＿＿＿＿＿＿＿＿べからず」という立て札を見かける。

3）図書館では大声で＿＿＿＿＿＿＿＿べからず。

4）「見るべからず」なんて書いてあると、よけいに＿＿＿＿＿＿＿＿。

97　～までもない／～までもなく

> **意味** ～必要はない
>
> **接続** ［動－辞書形］＋ { までもない（＋［名］）
> までもなく＋［動・形・副］ }

① そんな簡単な用事のために、わざわざ行くまでもない。
② 今さら注意するまでもなく、喫煙は健康に大きな害を及ぼします。
③ あの人が真面目に働いているかどうかなど、聞くまでもないことです。

参考　「～までのこともない」〈～必要はない〉
　　・彼がうそをついているのは明らかだ。ほかの者に確かめるまでのこともない。

慣用　「言うまでもない／言うまでもなく」〈言う必要がないほど当然という気持ちを表す。〉
　　・今さら言うまでもなく、学生の本分は勉強です。

98　～を禁じ得ない

> **意味** ～を我慢できない・～しないではいられない
> 　　話し手の感情を表す内容が多い。
>
> **接続** ［名］＋を禁じ得ない

① 彼女の身の上話を聞いて、涙を禁じ得なかった。
② 行政の対応の遅れによって災害の被害者が多く出たことに、怒りを禁じ得ない。

6-2　二重否定の形

99　～ずにはおかない

> **意味** ～ないでは許さない・～ないでは終わらない
> 　　「必ずそうする」という話し手の意志や、「自然にそうなる」という状況を表す。
>
> **接続** ［動－ない形］＋ずにはおかない　　「する」は「せずにはおかない」となる。

① 理由なく暴力をふるわれたら、法に訴えずにはおかない。
② A社の今回の不祥事は経営幹部を退陣に追い込まずにはおかないだろう。
③ 彼女のスピーチは聞く者に感動を与えずにはおかなかった。

類語　101 ～ないではおかない

100　〜ずにはすまない

意味　〜ないままでは許されない・〜ないわけにはいかない
自分の義務感や、周囲の状況、社会的な常識などから考えて、何かしなければ許されない、あるいは物事が終わらないという時の表現。

接続　[動－ない形]＋ずにはすまない　「する」は「せずにはすまない」となる。

① 部下の失敗に対して、上司は責任をとらずにはすまないものだ。
② 生徒の多くが望んでいる現状を考えれば、校則の改定を検討せずにはすまないだろう。
③ お詫びのしるしに、何かお贈りせずにはすまないでしょう。

類語　102 〜ないではすまない・★2級 〜（ない）わけにはいかない

101　〜ないではおかない

意味　〜ないでは許さない・〜ないでは終わらない
「必ずそうする」という話し手の意志や、「自然にそうなる」という状況を表す。

接続　[動－ない形]＋ないではおかない

① こんなひどいことをされたのだから、絶対に謝らせないではおかない。
② いつか必ず彼の不正を暴かないではおかない。
③ 医者の一言はわたしを不安にさせないではおかなかった。

類語　99 〜ずにはおかない

102　〜ないではすまない

意味　〜ないままでは許されない・〜ないわけにはいかない
自分の義務感や、周囲の状況、社会的な常識などから考えて、何かしなければ許されない、あるいは物事が終わらないという時の表現。

接続　[動－ない形]＋ないではすまない

① あんな高価な物を壊したのだから、弁償しないではすまない。
② この雰囲気では、会議は一荒れしないではすまないだろう。

類語　100 〜ずにはすまない・★2級 〜（ない）わけにはいかない

第6章 練習 97-99

97
1．次の文の＿＿＿の意味に最も近いものをa～cの中から選びなさい。
　この言葉の意味は、あらためて説明するまでもありません。
　　a．いくら説明しても、わからないだろう
　　b．説明されるまで待っている時間がない
　　c．もう説明しなくても、わかるだろう
2．次の文の＿＿＿に適する言葉を入れなさい。
1）こんな易しい漢字は、先生に＿＿＿＿＿＿＿＿までもなく読めるはずだ。
2）＿＿＿＿＿＿＿＿までもないことだが、明日の面接試験には1分たりとも遅れてはならない。

98
1．次の文の＿＿＿の意味に最も近いものをa～cの中から選びなさい。
1）会社のためにあれほど尽力してきた彼の左遷には、同情を禁じ得ない。
　　a．同情してはいけない
　　b．同情せずにはいられない
　　c．同情するのを禁止できない
2）「見るな」と言われると、かえって見たいという欲望を禁じ得なかった。
　　a．欲望を抑えることができなかった
　　b．欲望がわいてこなかった
　　c．欲望を持つことができなかった
2．次の文の＿＿＿に適当な言葉を入れなさい。
1）こみ上げる＿＿＿＿＿＿＿＿を禁じ得ず、思わず大声で怒鳴ってしまった。
2）被災地のひどい状況を目の当たりにし、＿＿＿＿＿＿＿＿を禁じ得なかった。

99
1．次の文の（　）に最も適当なものをa～cの中から選びなさい。
1）こんな凶悪な事件を起こした犯人には、必ず罪を（　　　）にはおかない。
　　a．償わず　　　　b．償われず　　　　c．償わせず
2）被災地での彼女の（　　　）働きは、人々の胸を打たずにはおかなかった。
　　a．自分勝手な　　b．献身的な　　　　c．悲観的な
2．次の文の＿＿＿に適当な言葉を入れなさい。
1）顧客の金を使い込むような社員は、会社が＿＿＿＿＿＿＿＿にはおかないはずだ。
2）母親や周囲の人々の＿＿＿＿＿＿＿＿は、その子の心の傷を癒さずにはおかないだろう。

100

1．次の文の＿＿＿の意味に最も近いものをa～cの中から選びなさい。

何度も人を騙してきたのだから、今度という今度は、彼も訴えられずにはすまないだろう。

　　a．きっと訴えられるだろう　　　　b．訴えないではおかない

　　c．訴えるのは申し訳ない

2．次の文の＿＿＿に適当な言葉を入れなさい。

1）いくらお酒が苦手とはいっても、社長に勧められては＿＿＿＿＿＿＿すまない。

2）こんなに大変な手術をしたのだから、1か月は＿＿＿＿＿＿＿すまないでしょう。

3）こちらの不注意で＿＿＿＿＿＿＿のだから、被害者への補償をせずにはすまない。

101

1．次の文の＿＿＿の意味に最も近いものをa～cの中から選びなさい。

その大臣の不用意な発言は、国民感情を逆なでしないではおかなかった。

　　a．逆なでしないほうがよかった　　b．逆なでするまでもなかった

　　c．逆なでせずにはすまなかった

2．次の文の（　）に最も適当なものをa～cの中から選びなさい。

1）そのコメディアンの見事な演技は、見る者を（　　）ではおかない。

　　a．笑わない　　　　b．笑えない　　　　c．笑わせない

2）彼の力のこもった説得は、その場の人々を（　　）ないではおかなかった。

　　a．納得し　　　　b．納得させ　　　　c．納得でき

3）こんなひどいことをされたのだから、いつか必ず（　　）しないではおかない。

　　a．謝罪　　　　b．仕返し　　　　c．非難

102

1．次の文の＿＿＿の意味に最も近いものをa～cの中から選びなさい。

理由はどうあれ駐車違反で捕まったのだから、罰金を払わないではすまない。

　　a．罰金を払うことができず、申し訳ない

　　b．罰金を払いたくないので困っている

　　c．罰金を払わなければならない

2．次の文の＿＿＿に適当な言葉を入れなさい。

1）上司が入院したとあれば、1度は＿＿＿＿＿＿＿ではすまないと思う。

2）皆さんにこれだけ心配をかけたのだから、なぜ休んでいたのか＿＿＿＿＿＿＿ではすまないでしょう。

3）こんなにお世話になったのですから、一言お礼を＿＿＿＿＿＿＿ではすみません。

103 〜ないものでもない

> **意味** 〜する可能性がある
> 　　　確信はしていないが、〜かもしれないという消極的な気持ちを表す。
>
> **接続** ［動－ない形］＋ないものでもない

① 難しいけれど、何とか工夫すれば、できないものでもないだろう。
② 今からでも急げば、ひょっとして終電に間に合わないものでもない。

■参考 「〜なくもない」〈〜こともある〉
　　・是非にと言われれば、話さなくもないが……。

■類語 ★2級 〜ないこともない

103

1．次の文の＿＿＿の意味に最も近いものをa～cの中から選びなさい。

　　理由いかんでは、1万円ぐらいなら貸さないものでもない。

　　　a．貸さない人はいない　　b．貸すかもしれない　　c．貸さなくてもいい

2．下の□の中から言葉を選び、適当な形に変えて文中の＿＿＿に書きなさい。

　　　　　　通じる　　　　する　　　　出られる

1）懇親会には、無理をすれば＿＿＿＿＿＿＿ものでもないが、あまり気が進まない。
2）日本語はまだ下手だが、一生懸命話せば＿＿＿＿＿＿＿ものでもない。
3）君が本気で頑張るというなら、応援＿＿＿＿＿＿＿ものでもないよ。

3．次の文の＿＿＿に適当な言葉を入れなさい。

　　その気になれば食べられないものでもないが、できれば＿＿＿＿＿＿＿。

第6章　確認問題（91～103）

次の文の（　）に最も適当なものをa～dの中から選びなさい。

1. これだけ多くの人たちから応援してもらったのだから、いくら無口な彼でも、一言お礼の挨拶を（　　）だろう。
    a. しないではない
    b. するまでもない
    c. せずにはすまない
    d. するにたえない

2. 学生が毎日勉強しなければならないのは、言う（　　）ことだ。
    a. までの　　b. までもない　　c. べき　　d. べきではない

3. あの時みんなの前ではっきりやると言ったのだから、今さらやらない（　　）。
    a. ではおかない　　b. ものでもない　　c. こともない　　d. ではすまない

4. 隣の部屋の住人はいつも夜中まで大騒ぎをしている。こちらは朝が早いのに、本当に（　　）。
    a. 迷惑にあたらない
    b. 迷惑するしかない
    c. 迷惑といったらない
    d. 迷惑でないものでもない

5. それほどまで皆に会長就任を望まれるのなら、（　　）。
    a. 引き受けないものでもない
    b. 引き受けるまでもない
    c. 引き受けるにはあたらない
    d. 引き受けずにはおかない

6. 昼夜を問わず被災者のために尽くしている彼女の姿は、人々の心を（　　）。
    a. 動かすにあたらなかった
    b. 動かすまでもなかった
    c. 動かすきらいがあった
    d. 動かさずにはおかなかった

7. 人々が幸せに暮らすためには、世界各国の協調と歩み寄りが必要欠く（　　）条件である。
    a. までもない　　b. にたえない　　c. べからざる　　d. にあたらない

8. 一度くらいだめだったからと言って、そんなに落胆する（　　）。何度でも挑戦すればいいことだ。
    a. には至らない　　b. にはあたらない　　c. にたらない　　d. にほかならない

9. 寮の廊下には「走る（　　）」と書いた紙が張ってある。
    a. べからざる　　b. べからず　　c. べからない　　d. べからぬ

10. 大地震によって被災された方々に対して深い同情を禁じ（　　）。
    a. 得ない　　b. ざるを得ない　　c. かねない　　d. ないものでもない

11. 今回の事件で、人質になっている方々の一日も早い救出を念願（　　　）。
    a. するしかない　　　　　　　　b. しないではおかない
    c. してやまない　　　　　　　　d. するにかたくない

12. 彼の作る曲には、現代の若者の心をとらえ（　　　）ものがある。
    a. ざるをえない　　　　　　　　b. ないではすまない
    c. ないものでもない　　　　　　d. ないではおかない

13. 震災で家を失った友人の心情は想像に（　　　）。
    a. かたくない　　b. ほかならない　　c. に足らない　　d. たえない

第6章　実戦問題

次の文の（　　）に最も適当なものをa～dの中から選びなさい。

1．今週は忙しくて無理だが、来週ならその会に参加でき（　　）。
　　a．ないまでもない　　　　　　　　b．ないものでもない
　　c．るまでもない　　　　　　　　　d．るものでもない

2．高校生といえども、交通事故を起こしたのだから処罰（　　）。
　　a．されるまでもないだろう　　　　b．されるわけにはいかない
　　c．されないではおかない　　　　　d．されずにはすまないだろう

3．ご結婚おめでとうございます。お二人のお幸せを心より願って（　　）。
　　a．おえません　　b．すみません　　c．やみません　　d．たえません

4．母親が幼い我が子を放置して死なせたというニュースを聞き、親の無責任さに怒りを（　　）。
　　a．禁じえない　　　　　　　　　　b．禁じかねない
　　c．禁じざるをえない　　　　　　　d．禁じずにはおかない

5．地元チームが熱戦の末に勝利を勝ち取った試合を見て、住民が喜びにわいたことは、想像（　　）。
　　a．にかたくない　　b．にあたらない　　c．にたえない　　d．にもおよばない

6．みんなの前で突然プロポーズされた時の彼女の驚きようと（　　）。
　　a．いうまでもなかった　　　　　　b．いってもよかった
　　c．いったらなかった　　　　　　　d．いうしだいだった

7．対戦相手は去年の優勝校なのだから、負けたからといって、そんなに落胆するには（　　）。
　　a．あたらない　　b．たりない　　c．そういない　　d．たえない

8．彼の今度の小説は家族愛をテーマにした作品で、読む者を感動させずには（　　）だろう。
　　a．ならない　　b．おかない　　c．たらない　　d．いけない

9．（　　）、たばこは体に悪いとわかっている。
　　a．言われるからでなく　　　　　　b．言うにあたらず
　　c．言うからしても　　　　　　　　d．言われるまでもなく

その機能語が出題された年度

【1998】1．2．　【2000】3．4．　【2001】5．6．　【2002】7．8．　【2003】9．

読みましょう⑮　少子高齢化社会

98 ～を禁じ得ない・94 ～にかたくない・99 ～ずにはおかない・93 ～にはあたらない・95 ～べからざる

　現在、我が国が抱える問題は多々あるが、ことに近年の少子化現象には憂慮を禁じ得ない。また、それに伴う社会の高齢化にも多大な不安を感じざるを得ない。今後もこのような状況が続けば、数十年後にどのような社会になるのかは想像にかたくない。多くの高齢者の年金や医療費を少数の若者たちが支えることになり、その生活を圧迫せずにはおかないであろう。
　国内外に問題が山積している現状ではあるが、この少子高齢化問題を政策の緊急課題とするにはあたらないと言う者は、まずいないであろう。予断は許されない状況なのだ。政府の早急かつ抜本的な対策は、国民が安心して暮らせる社会の建設のために、欠くべからざるものである。

2級：～に伴う・～ざるを得ない

読みましょう⑯　富士山（ふじさん）

97 〜までもない・101 〜ないではおかない・96 〜べからず・
92 〜といったらありはしない・103 〜ないものでもない・100 〜ずにはすまない・
91 〜てやまない

　富士山が日本一高く、美しい山であることは言う<u>までもない</u>。古来神聖なる霊峰として崇められ、ことに、その山頂から見る日の出、「御来光」は、人々に畏敬の念を起こ<u>させないではおかない</u>。

　最近は5合目までバスで行けるとあって、ふだんは登山に縁のない人々でも、気軽に観光ツアーに参加して、この3,700メートルからある高山に挑むようになった。そして、実際に山頂に立って、その光景を目の当たりにする感動を多くの人々が味わっている。

　しかし、多くの人々が押し寄せる結果として、ごみや排泄物の処理が問題となってきている。実際、登山路の各所には「ごみを捨てる<u>べからず</u>」の立て札を見かけるし、簡易処理場の汚れ方<u>といったらありはしない</u>。

　一生に1度は富士山に登りたいという気持ちや、登ったものの、疲れ果てて、ほんの少しでも荷物を軽くしたくなる気持ちは、理解でき<u>ないものでもない</u>が、「ちりも積もれば山となる。」である。登山者たちが残したそのつけは、将来、富士山一帯の自然環境破壊問題に発展せ<u>ずにはすまない</u>であろう。一人一人の努力により、富士山がいつまでもその美しさを保てるよう、願っ<u>てやまない</u>。

　その他の1級：21〜とあって・71〜からある
　2級：〜として・〜ものの

第7章
その他の文末表現

7-1 文末表現

104 〜きらいがある・105 〜しまつだ・
106 〜というところだ／〜といったところだ・107 〜ばそれまでだ・
108 〜まで(のこと)だ・109 〜を余儀なくされる／〜を余儀なくさせる

7-1 文末表現

104 〜きらいがある

- **意味** 〜傾向がある　　悪い内容を表す。
- **接続** ［動-辞書形／ない形］
  ［名-の］　　　　　＋きらいがある

① 多くの中高年サラリーマンは仕事に追われて、健康管理を怠るきらいがあると言われている。
② 彼は性格は悪くはないが、人の言うことに耳を貸さないきらいがある。
③ 我がクラブのメンバーは最近、どうも飲み過ぎのきらいがある。

105 〜しまつだ

- **意味** 〜という悪い結果になった
  前にそこに至るまでの状況を述べて、その結果としての悪い状況を表す時の表現。
- **接続** ［動-辞書形／ない形］＋しまつだ
  「この」「その」「あの」などと共に用いられることも多い。

① 弟は昔から両親に手を焼かせていましたが、ついに家出をして、警察のやっかいにまでなるしまつです。
② 昔はスポーツマンだったが、膝を痛めてからは足の力が弱くなり、今では杖なしには歩けないしまつだ。
③ 信頼して彼に仕事を任せていたのに、このしまつだ。

106 〜というところだ／〜といったところだ

- **意味** 大体〜だ
  その時点での状況を説明して、大体その程度だという気持ちを表す。
- **接続** ［動-辞書形］
  ［名］　　　　＋というところだ／といったところだ

① ゴールデンウィークといっても、我が家ではせいぜい日帰りで郊外に出かけるといったところです。
② パーティーの参加者は、70人から80人というところでしょう。
③ 論文の完成までには、あと一頑張りといったところだ。

107 〜ばそれまでだ

> **意味** 〜ば、それで終わりだ　それ以上やりようがない、仕方がないという表現。
>
> **接続** ［動－ば］＋それまでだ

① 長年勤めた会社だが、退職してしまえばそれまでだ。
② どんなにいいパソコンがあっても、使い方がわからなければそれまでだ。

▶ **参考**　「〜たらそれまでだ」〈〜たら、それで終わりだ。〉
・1時発の電車に乗り遅れたらそれまでだ。約束の時間には間に合わない。

108 〜まで（のこと）だ

> **A** **意味** 〜以外に方法がない
> ほかに方法がないからそうするという話し手の決意や強い意志を表す。
>
> **接続** ［動－辞書形］＋まで（のこと）だ

① 留守なら仕方がない。ここで帰って来るのを待つまでだ。
② 万一彼に断られれば、ほかの人を探すまでのことだ。

> **B** **意味** ただ〜だけだ
> ただそれだけの事情や理由でしたことであって、他意はないということを表す。
>
> **接続** ［動－た形］＋まで（のこと）だ

① 君にはあまり関係ないかもしれないが、念のため知らせたまでのことだ。
② 別に用事があったわけではなく、ただ通りかかったから、寄ってみたまで（なん）だ。

109 〜を余儀なくされる／〜を余儀なくさせる

> **意味** 仕方なく〜される・〜させられる／仕方なく〜させる
> 「余儀なくされる」は受身、「余儀なくさせる」は使役の内容を表す。
>
> **接続** ［名］＋を余儀なくされる／を余儀なくさせる

① 長引く不況のため、労働者は賃金カットを余儀なくされてしまった。
② 資金不足から、臨海地域の開発は停滞を余儀なくされている。
③ 貿易交渉の結果、A国はB国に関税の引き下げを余儀なくさせた。
④ 不意に起こったなだれが、登山計画の中止を余儀なくさせた。

104

1．次の文の（　）に最も適当なものをa～cの中から選びなさい。

1）田中さんは何事も深く考え込んでしまうきらいがあるので（　　　）。
　　a．安心だ　　　　　　　b．心配だ　　　　　　　c．感心だ

2）妹はこの頃（　　　）きらいがあるので、ちょっと注意しておこう。
　　a．食べ過ぎの　　　　　b．食べ過ぎた　　　　　c．食べ過ぎな

3）山田さんはいい男だが、人の話を最後まで（　　　）きらいがある。
　　a．よく聞く　　　　　　b．理解する　　　　　　c．聞かない

2．次の文の＿＿＿に適当な言葉を入れなさい。

1）最近、父は＿＿＿＿＿＿＿＿＿＿きらいがあるので、少し休んでほしい。

2）今の子供は何でもすぐ＿＿＿＿＿＿＿＿＿ので、物を粗末にするきらいがある。

105

1．次の文の（　）に最も適当なものをa～cの中から選びなさい。

1）このごろ忙しくて、（　　　）しまつです。
　　a．食事も満足にとれない　　b．友人と飲みに行く　　c．ゆっくり休みたい

2）彼は日頃から乱暴な運転をして危ないと思っていたが、ついに人身事故を（　　　）しまつだ。
　　a．起こした　　　　　　b．起こす　　　　　　　c．起こすだろう

2．「～しまつ」を使って次の文を完成させなさい。

1）入社したばかりの頃はあんなに張り切っていたのに、最近では仕事がつらいと泣き言を＿＿＿＿＿＿＿＿。

2）彼はもう絶対に遅刻はしないと約束したのに、すぐにまた翌日から＿＿＿＿＿＿＿＿＿。

106

1．次の文の＿＿＿の意味に最も近いものをa～cの中から選びなさい。

この景気の悪さでは、今度のボーナスはせいぜい<u>20万円というところだろう</u>。

a．皆が20万円だと言っている

b．20万円ぐらいのものだろう

c．20万円出ることになっている

2．次の文の（　）に最も適当なものをa～cの中から選びなさい。

1）今の世の中、100万円くらいあっても、せいぜい（　　　）といったところでしょう。
　　a．小型車が買いたい　　b．小型車が買えない　　c．小型車が買える

2）発表会の作品は、初心者にしてはまあまあの（　　　）というところだろう。
　　a．でき　　　　　　　　b．できる　　　　　　　c．できた

107
1．下の□の中から言葉を選び、適当な形に変えて文中の＿＿＿に書きなさい。

　　　　遅れる　　　気に入る　　　言う　　　使う

1）高い辞書を買っても本棚に並べているだけで＿＿＿＿＿＿＿＿それまでだ。
2）どんなに成績がよくても、面接試験に＿＿＿＿＿＿＿＿それまでだから、遅刻しないように気をつけてください。
3）いくらいいお見合いの話でも、結婚は本人が＿＿＿＿＿＿＿＿それまでのことだ。
4）この案にみんなが賛成してくれても、社長がうんと＿＿＿＿＿＿＿＿それまでだ。

2．「～ばそれまでだ」を使って次の文を完成させなさい。
1）いくら高いコンピュータを持っていても、＿＿＿＿＿＿＿＿＿＿＿＿＿＿＿＿。
2）どんなにいい企画でも、予算が＿＿＿＿＿＿＿＿＿＿＿＿＿＿＿＿。

108
1．次の文の（　）に最も適当なものをa～cの中から選びなさい。
1）お礼だなんて、とんでもない。あの時は当たり前のことを（　　）ですよ。
　　a．したまで　　　b．してまで　　　c．するまで
2）うちの会社もこれだけ業績が悪くては将来が不安だ。しかし、幸い貯金もあるし、いざとなれば（　　）までのことだ。
　　a．もっと働く　　　b．休む　　　c．辞める

2．「～までだ／です」を使って次の文を完成させなさい。
1）周囲の人間がこれだけ忠告しても聞こうとしないなら仕方がない。あとは本人の意志に＿＿＿＿＿＿＿＿。
2）あなたは「行かない」と答えるだろうとは思いましたが、念のため＿＿＿＿＿＿＿＿。

109
1．次の文の＿＿＿の意味に最も近いものをa～cの中から選びなさい。
　　大臣は記者会見での不用意な発言が原因で、辞職を余儀なくされた。
　　a．仕方なく辞職することになった
　　b．辞職をすることに決めた
　　c．辞職するわけにはいかない

2．「～を余儀なくされた／させた」を使って次の文を完成させなさい。
1）9時以降出発予定の飛行機は、台風の接近により＿＿＿＿＿＿＿＿＿＿＿＿＿＿＿＿。
2）留学してまだ1か月だったが、父の病気が彼に＿＿＿＿＿＿＿＿＿＿＿＿＿＿＿＿。
3）突然襲ってきた大地震が、住民たちに＿＿＿＿＿＿＿＿＿＿＿＿＿＿＿＿。

第7章　確認問題（104～109）

次の文の（　）に最も適当なものをa～dの中から選びなさい。

1．どうやら彼女は自分に都合の悪いことは避けて通る（　　）ようだ。
　　a．きらいになる　　　　　　　　b．きらいをもつ
　　c．きらいがある　　　　　　　　d．きらいでいる

2．どんなに一生懸命働いても、会社が倒産すれば（　　）。
　　a．それこそだ　　b．それまでだ　　c．それからだ　　d．それだけだ

3．別に用事はなかったのですが、ちょっと声が聞きたくて電話してみた（　　）です。
　　a．まで　　　　b．こと　　　　c．もの　　　　d．ゆえ

4．旅行の計画は参加者が少なかったため、中止を（　　）なくされた。
　　a．わけ　　　　b．ゆえ　　　　c．余儀　　　　d．ほか

5．ギャンブルにおぼれた父親は家計費はもちろんのこと、ついには子供の貯金にまで手を出す（　　）。
　　a．かぎりだ　　b．べきだ　　　c．までだ　　　d．しまつだ

6．景気がよくなったとはいえ、大学生のアルバイト代はせいぜい1時間900円（　　）だ。
　　a．というもの　　b．といったこと　　c．といったわけ　　d．といったところ

第7章　実戦問題

次の文の（　　）に最も適当なものを a～d の中から選びなさい。

1．いくら有名企業に就職できても、倒産してしまえば（　　）。
   a．そのものだ　　b．それまでだ　　c．そのままだ　　d．それのみだ
2．彼女が忙しくて一緒に行けないのなら、わたし一人で行く（　　）のことです。
   a．まで　　　　b．もの　　　　c．はず　　　　d．のみ
3．夫は時々料理を作ってくれるが、彼にとっては休日の気分転換と（　　）だろう。
   a．いってこそ　　b．いえばこそ　　c．いったところ　　d．いうだけ
4．家を新築したばかりなのに、転勤のために引っ越しを（　　）。
   a．余儀なくされた　b．余儀なくさせた　c．余儀なくなった　d．余儀なくなれた
5．弟は物事を慎重に考えることができずに、何でも軽く考える（　　）。
   a．かぎりだ　　b．きらいがある　　c．にかたくない　　d．までのことだ
6．彼女は真面目に勉強する気持ちがあるのだろうか。レポートは出さないし、遅刻はするし、最近ではたびたび無断欠席する（　　）。
   a．あげくだ　　b．おかげだ　　c．までだ　　d．しまつだ

その機能語が出題された年度
【1997】1．【1999】2．【2002】3．4．【2003】5．6．

読みましょう⑰　　コンピュータ

104 〜きらいがある・109 〜を余儀なくされる・107 〜ばそれまでだ・
106 〜といったところだ・105 〜しまつだ・108 〜までのことだ

　現代に生きる我々は機械に頼りすぎるきらいがあるとよく言われる。が、我々はあらゆる面において、機械のお世話になっており、もはや機械なくしては、人間は生きてはいけないと言っても過言ではないだろう。

　近年、その最たるものとして、コンピュータが挙げられる。もし何らかの組織の中で仕事をしようとするならば、多かれ少なかれ、コンピュータとのお付き合いを余儀なくされるのではないだろうか。

　実際、我が国の大企業のほとんどが新卒社員の募集をインターネットを介して行なっている。その会社の求人ウェブサイトから応募要項に必要事項を記入して送らなければならない。いかにその職に適した能力を備えた優れた人材であろうと、もしコンピュータを使うことができなければそれまでだ。入社試験を受けるどころか、応募することさえできないのだ。

　かく言う私自身はコンピュータの使用に関しては、仕事や私用でメールを交わしたり、インターネットを覗いたりするといったところだが、少し複雑な操作に至っては、職場の若い人に手取り足取り教えてもらわねば、どうにもできないしまつだ。

　現代人の生活は、まさに機械に支配されていると言ってもよく、時に腹立たしくなるような状況も起こってしまう。しかし、もしも我々がこの機械文明から切り離された世界で生きざるを得ない状況に陥ったとしたら、一体どうなるのであろうか。

「すべてのことをのんびりゆっくり、機械革命が起こる以前の人々と同じような生活をするまでのことだ。」
と楽観的に言える者が、どれくらいいるだろうか。

その他の1級：16 〜なくしては・33 〜（よ）うと・61 〜に至っては
2級：〜どころか・〜ざるを得ない・〜ような

第8章
出題基準機能語以外の重要な表現

8-1　過去に出題された機能語的表現（出題基準以外）
8-2　受身・使役・使役受身
8-3　敬語
8-4　自動詞・他動詞

> 1（〜なんて）よく言える・2〜ないともかぎらない・
> 3〜にこしたことはない・4〜てもさしつかえない・5 言わずもがな・
> 6〜てはかなわない・7〜てみせる・8〜なくはない／〜ないでもない・
> 9〜はばからない・10〜やら・11〜（よ）うものなら・12〜割に（は）・
> 13〜かいもなく・14〜ずじまい・15〜だけまし・16〜にかこつけて・
> 17〜にとどまらず・18〜のなんのと・19〜をふまえて・
> 20〜んだって・21〜たなら…だろうに・22〜ては…、〜ては…・
> 23〜というもの・24（どんなに）〜と（も）・25〜ことだし・
> 26〜てでも・27〜てまえ・28〜てまで…・29〜をおして・
> 30〜を経て

この章の「過去に出題された問題を確認しよう」で使用している問題の出典：
『日本語能力試験試験問題と正解1・2級』（1996〜2003年度）
　財団法人日本国際教育支援協会・独立行政法人国際交流基金　著作・編集
　凡人社　発行

8-1 過去に出題された機能語的表現（出題基準以外）

> 過去に出題された問題を確認しよう。
>
> 1．スイッチの入れ方すら知らない人に、この装置を動かしてみろなんて、よく（　　　）。　【1998】
>   a．言えますね　　b．言えませんね　　c．言いませんね　　d．言いたいですね
> 2．習慣や考え方は人によって異なるので、自分にとっての常識は他人にとっての非常識で（　　　）。　【1999】
>   a．ないとかぎられる　　　　　b．ないともかぎらない
>   c．あるともかぎらない　　　　d．あるとかぎられる
> 3．申請書の提出締め切りは明日の午後4時だが、早めに出せればそれに（　　　　）。
>   a．こしたことはない　　　　　b．こすことはない　　【1999】
>   c．こしたことではない　　　　d．こすことではない

1　(〜なんて)よく言える　【1998】

> **意味**　(普通は言えないようなことを) よく平気で言うことができる
> 　　　　「〜なんて」の前は、相手の言った言葉をそのまま引用した形がくることが多い。

① 課長ときたら、自分は二日酔いで会社を休んだくせに、僕らには酒を飲み過ぎるな<u>なんて</u>、全く、<u>よく言える</u>よ。

▶**参考**　「(〜なんて)よく言う(<u>よ</u>)」も同じように使われる。

2　〜ないともかぎらない　【1999・2002】

> **意味**　〜という可能性がある・〜かもしれない
> **接続**　[動・い形・な形・名]の普通形（現在否定）+ともかぎらない

① 雪の影響で、電車が遅れ<u>ないともかぎらない</u>から、早く家を出よう。

▶**参考**　「〜とはかぎらない」〈必ずしも〜とは言えない〉
　　・女性がみんな甘い物が好き（だ）<u>とはかぎらない</u>。

3　〜にこしたことはない　【1999】

> **意味**　〜のほうがいい　　常識からいうと、〜の方がいいという話し手の気持ちを表す。
> **接続**　[動・い形・な形・名]の普通形（現在）+にこしたことはない
> 　　　ただし、[な形]と[名]の「だ」はつかない。

① この仕事は経験がなくてもかまわないが、もちろんある<u>にこしたことはない</u>。
② 旅行の荷物は少ない<u>にこしたことはない</u>。

> 過去に出題された問題を確認しよう。
>
> 4．手術後の経過が順調だったら、来週は散歩に出ても（　　）。　　【1999】
>   a．むりである　　b．むりもない　　c．さしつかえる　　d．さしつかえない
> 5．あんまり腹が立ったので、つい言わず（　　）のことを言ってしまった。【2000】
>   a．じまい　　　b．がてら　　　c．もがな　　　d．ながら
> 6．夏は体の調子を崩しやすく、私にとっては冬の方が過ごしやすい。そうは言っても、毎日こう寒くては（　　）。　　【2000】
>   a．かなわない　b．かまわない　c．かなうだろう　d．かまうだろう

4　〜てもさしつかえない　【1999】

意味　〜てもかまわない・特に問題ない
接続　［動－て形・い形－くて・な形－で・名－で］＋もさしつかえない

① 今日は仕事が暇なので、早退してもさしつかえないと思います。
② 部屋は便利な所なら、多少狭くてもさしつかえありません。
③ ヤンさんの送別会を開きたいのですが、平日でもさしつかえありませんか。

5　言わずもがな　【2000】

意味　言わないほうがよい・言う必要がない

① つい感情的になって、言わずもがなのことを言ってしまい、後悔している。

6　〜てはかなわない　【2000】

意味　〜のはやりきれない・がまんできない
接続　［動詞－て形・い形－くて・な形－で・名－で］＋はかなわない

① 社員A：ボーナスも出ないのに、こんなに残業ばかりさせられてはかなわないよ。
　社員B：まったくだよな。

注意　「〜ちゃかなわない」は、さらにくだけた言い方。
・いくら夏が好きだといっても、毎日こう暑くっちゃかなわないな。

> 過去に出題された問題を確認しよう。
>
> 7．去年のコンクールでは、私はあんなに練習したのに入賞できなかった。今年はもっと練習して、きっと優勝（　　　）。　【2000】
>   a．しそうだ　　b．してみよう　　c．するそうだ　　d．してみせよう
> 8．山本さんは、ある日突然会社をやめて周りを驚かせたが、あの人の性格を考えると、理解（　　　）。　【2000】
>   a．しないものだ　b．しなくはない　c．できなくはない　d．できそうもない
> 9．その新人候補は、今回の選挙に必ず当選してみせると断言して（　　　）。【2000】
>   a．かいがない　　b．きりがない　　c．しくはない　　d．はばからない

7　〜てみせる　【2000】

意味　（きっと）〜しよう／する　　必ずそうするという話し手の決意を表す。
接続　［動－て形］＋みせる

① 今は売れない歌手だが、いつか必ず有名になってみせる。

8　〜なくはない　【2000】　〜ないでもない　【2002】

意味　〜ないことはない・全く〜ないわけではない
「積極的に〜とは思わないが」という話し手の気持ちを表す。
接続　［動－ない形］＋なくはない／ないでもない

① 社員A：うちの会社、最近売り上げが伸びているね。
　社員B：まあ、そう言えなくはないけど、他社に比べたら、まだまだだよ。
② あなたがそんなに熱心に誘うなら、行かないでもないけど。

9　〜はばからない　【2000】

意味　（周囲に対して）遠慮しないで〜する
接続　［動－て形・名－も／を］＋はばからない

① 彼は、できもしないことを「できる」と広言してはばからない無責任な人間だ。
② 最近、人目もはばからず、どこででもしゃがみこんでいる若者たちを目にする。

参考　「はばかる」〈他に対して遠慮や気がねをする〉
　　・口にするのもはばかる／はばかられる。　・外見をはばかる。
慣用　「はばかる」〈「威張って、勝手気ままにふるまう」の意味でも用いられる。〉
　　・憎まれっ子、世にはばかる。

> 過去に出題された問題を確認しよう。
>
> 10. あの子は学校から帰るとすぐ友達と出かけたが、さて、どこへ（　　　）。【2000】
>   a. 行くまいか　　b. 行くべきか　　c. 行ったやら　　d. 行ったものを
> 11. あの人に発言させようものなら、（　　　）。　　【2000】
>   a. 何とか問題を解決するのではないか
>   b. 無事にこの会議をおわることができる
>   c. 一人で何時間でもしゃべっているだろう
>   d. いいアイディアをだしてくれるのでありがたい
> 12. ほかの従業員の倍の仕事をさせられている（　　　）、給料が低い。　　【2000】
>   a. 分には　　　　b. 割には　　　　c. 上には　　　　d. 中には

10　〜やら　【2000】

意味　〜か、よくわからない
　　　　文末に使って、想像をしてもよくわからないという話し手の気持ちを表す。

接続　[動・い形] の普通形＋(の)やら

① あーあ。一体いつになったら、我が家の暮らしは楽になるのやら。

11　〜(よ)うものなら　【2000・2002・2003】

意味　もし〜たら
　　　　「〜したら、大変なことや問題が起きるだろう」という話し手の気持ちを表す。

接続　[動－意向形]＋ものなら

① アルバイト先は時間に厳しくて、ちょっとでも遅刻しようものなら、その分給料から差し引かれるんだ。

注意　「〜もんなら」はくだけた言い方。

12　〜割に(は)　【2000】

意味　〜の状況から予想したよりも

接続　[動・い形・な形・名] の名詞修飾型＋割に(は)

① あまり勉強しなかった割には、今度のテストの点はよかった。
② その少年は、子供の割にいろいろなことをよく知っている。

参考　「割と…」〈後ろに動詞・形容詞・副詞を伴って「比較的…」という意味。〉

・この問題、割と簡単だね。

> 過去に出題された問題を確認しよう。

13. 必死の練習のかいもなく、(　　　)。　　　　　　　　　　　　　　　【2001】
    a. オリンピックで優勝した
    b. オリンピックに出場できた
    c. オリンピックに参加しなくてすんだ
    d. オリンピックの代表選手には選ばれなかった
14. 有名な観光地の近くまで行ったのに、忙しくてどこへも(　　)だった。【2001】
    a. 寄るまい　　b. 寄るまえ　　c. 寄らずじまい　　d. 寄らないまで
15. どろぼうにかなりの額の現金をとられはしたが、命を取られなかった(　　　)。
　　　　　　　　　　　　　　　　　　　　　　　　　　　　　　　　　　【2001】
    a. だけましだ　b. ことしかない　c. ことばかりだ　d. のみである

13 〜かいもなく 【2001】

意味 （努力したが）その効果がなく
接続 ［動－た形・名－の］＋かいもなく

① 手術を受けたかいもなく、父の病状は悪化していった。
② 課長の説得のかいもなく、彼は会社を辞めてしまった。

▶参考 「〜かい(が)あって」〈〜の効果があって〉
　　・その学生は日々の努力のかいあって、見事試験に合格した。

14 〜ずじまい 【2001】

意味 〜ないで終わる
接続 ［動－ない形］＋ずじまい　　「する」は「せず」の形になる。

① あの人の言いたいことが何なのか、最後までわからずじまいだった。
② この１週間は遊んでばかりで、とうとう勉強せずじまいだった。

15 〜だけまし 【2001】

意味 いいとは言えないが、ほかよりはまだ〜だけいい
接続 ［動・い形・な形・名］の名詞修飾型＋だけまし
　　　　ただし、［名］現在形の「の」は「な」になる。

① 友人A：今年のボーナス、やっと出たけど、雀の涙だったよ。
　　友人B：出ただけましじゃない。うちの会社なんか、今年はゼロよ。

> 過去に出題された問題を確認しよう。

16. 父の病気に（　　　）、会への出席を断った。　【2001】
    a. かけて　　b. かんして　　c. かぎって　　d. かこつけて
17. 火山の噴火の影響は、ふもとに（　　　）、周辺地域全体に及んだ。　【2001】
    a. むかって　　b. いたって　　c. とどまらず　　d. かかわらず
18. 彼は足が痛い（　　　）と理由をつけては、サッカーの練習をさぼっている。
    a. のなんだ　　b. のなんか　　c. のなんで　　d. のなんの　【2001】

16　〜にかこつけて　【2001】

意味 〜を口実／理由にして
自分の行動を正当化するために、直接の理由でないことを口実にする。

接続 ［名］＋にかこつけて

① あの人は親の病気にかこつけて、しょっちゅう仕事を休んでいる。

17　〜にとどまらず　【2001】

意味 〜の範囲に収まらないで・〜だけで終わらないで

接続 ［動詞－辞書形・名］＋にとどまらず

① 彼女の古代遺跡への興味は、ただ本を読むにとどまらず、調査旅行に参加するほど強いものだった。
② その伝染病はその国だけにとどまらず、またたく間に世界中に広まった。

18　〜のなんのと　【2001】

意味 〜などとあれこれ
自分に都合がいい理由や言い訳を言う。

接続 ［動・い形・な形・名］の普通形＋のなんのと

① うちの子は、友達が新しいのを買ったのなんのと言っては、いつも最新の携帯電話を欲しがるので困る。
② 彼はいつも具合が悪いのなんのと理由をつけて、残業したためしがない。

> 過去に出題された問題を確認しよう。

19. 今年度の反省（　　）来年度の計画を立てなければならない。　【2001】
    a. のかぎり　　b. とみると　　c. をふまえて　　d. にわたって

20. さっき田中さんから電話があって、今日の野球の試合は、天気が悪いから中止（　　）。　【2001】
    a. なんかだ　　b. なんだか　　c. なんでよ　　d. なんだって

21. あのとき彼女がそう（　　）、僕はどんなことをしてでも助けただろうに。
    a. 言うとは　　b. 言ったなら　　c. 言っては　　d. 言うと　【2002】

19　〜をふまえて 【2001】

意味 〜に基いて・〜を考えに入れて

接続 ［名］＋をふまえて

① 複数の目撃者の証言をふまえて、警察は容疑者の特定を急いでいる。
② 進路の選択にあたっては、常に現実をふまえた判断が必要だ。

20　〜んだって 【2001】

意味 〜そうだ
他者から聞いたことを別の人に伝える時の、くだけた表現。

接続 ［動・い形・な形・名］の普通形＋んだって
ただし、［な形・名］の「〜だ」は「〜な」になる。

① イーさんは、国からご両親が遊びに来るんだって。
② ナムさんはあした学校を休むつもりなんだって。

21　〜たなら…だろうに 【2002】

意味 もし〜たら、…のに
「〜ばいい／よかったのに（そうではない／なかった）」という話し手の残念な気持ちや後悔を表す表現。

接続 ［動・い形・な形・名］の普通形（過去）＋なら　…だろうに

① あの時もっと勉強していたなら、留年せずにすんだだろうに。
② 犯人がもし未成年じゃなかったなら、もっと重い罰を受けたでしょうに。

> 過去に出題された問題を確認しよう。
>
> 22. 休み中、（　　　）眠り、（　　　）眠りの連続で、すっかり太ってしまった。
>   a. 食べては／食べては　　　b. 食べても／食べても　　【2002】
>   c. 食べるのが／食べるのが　d. 食べるなら／食べるなら
> 23. 田中さんは、この1週間と（　　　）、仕事どころではないようだ。　【2002】
>   a. いうもの　　b. いっては　　c. いえず　　d. いうのに
> 24. 母はどんなに（　　　）、決してぐちを言わなかった。　【2002】
>   a. 辛くて　　b. 辛いのに　　c. 辛そうで　　d. 辛くとも

22　〜ては…、〜ては…　【2002】

> **意味**　何度も〜て
> 　二つの動作を何度も繰り返してする様子を表す。
> **接続**　[動1－て形]＋は＋[動2－ます形]、[動1－て形]＋は＋[動2－ます形]

① 学生A：書いては消し、書いては消ししながら、やっと宿題の作文を仕上げたよ。
　学生B：でも、わたしは出しては直され、出しては直されの繰り返しよ。

注意　「〜ちゃ…、〜ちゃ…」は、さらにくだけた言い方。
・正月休みに食っちゃ寝、食っちゃ寝していたので、3キロも太ってしまった。

23　〜というもの　【2002・2003】

> **意味**　（〜てから）ずっと
> **接続**　[動－てから・名]＋というもの
> 　ただし、名詞は期間を表すものに限られる。

① 日本に来てからというもの、国の友人とは全く会っていない。
② ここ1か月というもの、ろくな食事をしていない。

24　（どんなに）〜と（も）　【2002】

> **意味**　（どんなに／いかに）〜ても／でも
> **接続**　[動－意向形・い形－く／かろう・な形－であろう・名－であろう]＋と（も）

① どんなに成功しようと、謙虚な気持ちを忘れてはいけない。
② いかに生活が苦しくとも、彼は決して人に頼らなかった。

> 過去に出題された問題を確認しよう。

25. 皆さんお帰りになった（　　　）、そろそろ会場を片づけましょう。【2003】
    a. ことに　　b. ことで　　c. ことだし　　d. こととて
26. 今日の会合には、どんな手段を（　　　）時間どおりに到着しなければならない。
    a. 使いつつ　b. 使ってでも　c. 使ううちに　d. 使おうとして　【2003】
27. 皆の前でこれが正しいと言ってしまった（　　　）、今さら自分が間違っていたとは言いにくい。【2003】
    a. てまえ　　b. ものの　　c. ところ　　d. ままに

25　〜ことだし　【2003】

意味　〜だから
何かをする時に、その理由を強調して述べる表現。

接続　[動・い形・な形・名]の名詞修飾型＋ことだし

① 社員A：仕事も一段落したことだし、今夜あたり一杯やりませんか。
　社員B：そりゃいいねぇ。

26　〜てでも　【2003】

意味　(たとえ)〜ても
後で述べることを実現させるために、極端な手段を用いる時の表現。

接続　[動−て形]＋でも

① 彼は、たとえ友達を裏切ってでも、成功を収めようとした。
② 寝る時間を減らしてでも、この仕事は早急に片付けなければならない。

27　〜てまえ　【2003】

意味　〜からには・[名]の面前では
周囲や相手に対して自分をよく見せたいため、後ろの状況になる。

接続　[動−辞書形／た形・名−の]＋てまえ

① 来週から長期休暇をとるてまえ、今日会社を休むことはできない。
② 「絶対に出席します」と言ったてまえ、欠席するわけにはいかない。
③ 親として、子供のてまえ恥をかきたくはない。

> 過去に出題された問題を確認しよう。
>
> 28. 好きなことを我慢（　　　）、長生きしたいとは思わない。　【2003】
>   a. してまで　　b. せずとも　　c. させないで　　d. させるくらい
> 29. 私の妹は両親の反対（　　　）結婚した。　【2003】
>   a. をおして　　b. をおいて　　c. につけても　　d. にてらして
> 30. 新しい条約は、会議の承認を（　　　）認められた。　【2003】
>   a. 経て　　　　b. 機に　　　　c. かねて　　　　d. ひきかえ

28　〜てまで…　【2003】

意味　〜ほどのことをして
　　　　…という目的のために通常ではしないようなことをする状況を表す。

接続　［動-て形］＋まで

① 自分の信念を曲げてまで、出世したいと思わない。
② いくら急ぎの仕事とはいっても、休日出勤してまで、やらなくてもいいでしょう。

29　〜をおして　【2003】

意味　〜（である）のに
　　　　困難や無理であることを知りながら、何かをする時の表現。

接続　［名］＋をおして

① 彼は家族の生活のために、病をおして働いている。
② 周囲の反対をおして、今回の選挙に出馬することにした。

30　〜を経て　【2003】

意味　〜を経過して
　　　　あることをする途中の段階として、その過程を通ることを表す。

接続　［名］＋を経て

① 夫を亡くした後、幾多の困難を経て、彼女は事業を成功させるに至った。
② 入念な書類審査や面接を経て、やっと入社が認められた。

8-1 練習問題

次の文の（　）に最も適当なものをa～dの中から選びなさい。

1. 携帯電話の使い方すらわからない老人に、パソコンを使えなんて、よく（　　）。
   a. 言ってます　　b. 言われます　　c. 言えますね　　d. 言わないですよ

2. 今日の会議は欠席しても構わないものだが、出席できればそれに（　　）ない。
   a. こしたことは　b. こすことは　　c. こしたことも　d. こすことも

3. 相手が失礼なことばかり言うので、ついこちらも興奮して、言わず（　　）のことを言ってしまった。
   a. ものを　　　　b. まじき　　　　c. もがな　　　　d. までも

4. 彼は大の仕事好きだが、そうは言っても、こんなに残業が続い（　　）だろう。
   a. てならない　　b. てもかまわない　c. てはならない　d. てはかなわない

5. 前回の試合ではたった1点差で敗れてしまったが、今回こそは必ず（　　）。
   a. 勝ってやまない　b. 勝ってみよう　c. 勝つかぎりだ　d. 勝ってみせる

6. その社員の言い分は理解できない（　　）が、やはり処分は免れないだろう。
   a. までのことだ　b. しまつだ　　　c. でもない　　　d. ではすまない

7. うちの7歳の息子は気が弱くて、ちょっと叱られよう（　　）すぐに泣き出してしまう。
   a. ものの　　　　b. ものを　　　　c. ものなら　　　d. ものだから

8. 大食漢の山田さんが、今日はおなかが痛いと休んでいる。一体何をどれほど（　　）。
   a. 食べたやら　　b. 食べたものを　c. 食べたまでだ　d. 食べたものか

9. テストの点はひどいものだったが、落第しなかった（　　）。
   a. しまつだ　　　b. ことしかない　c. までのことだ　d. だけましだ

10. 母が風邪を引いたのに（　　）、宿題の提出期限を延ばしてもらった。
    a. かわって　　　b. かこつけて　　c. かかわらず　　d. かんして

11. その社員は、電車が遅れた（　　）と言い訳して、しょっちゅう遅刻している。
    a. のなんの　　　b. のなんだ　　　c. のなんて　　　d. のなんか

12. 隣の奥さんから聞いたんだけど、今度ご主人が転勤（　　）。
    a. なんかって　　b. なんだって　　c. なんだか　　　d. なんでよ

13. もし、もっと早く（　　）、こんな目にはあわずにすんだだろうに。
    a. 逃げているとは　b. 逃げていては　c. 逃げていたなら　d. 逃げていると

14. 彼の作文も、（　　）直し、（　　）直ししているうちに、どうにかいいものになった。
    a. 書けたら／書けたら　　　b. 書いても／書いても
    c. 書こうと／書こうと　　　d. 書いては／書いては

15. 雨も小降りになってきた（　　　）、そろそろ出かけることにしよう。
    a. ことにも　　　b. ことでも　　　c. ことだし　　　d. ことから
16. 人を不幸に（　　　）、自分が幸せになろうなんて、思ってもいません。
    a. するまで　　　b. してまで　　　c. させれば　　　d. してから
17. 人にはそれぞれ得意不得意があるので、自分がたやすくできることでも、ほかの人にとっては困難で（　　　）。
    a. ないとはかぎれない　　　b. ないともかぎらない
    c. ないとはかぎる　　　d. ないともかぎっている
18. 明日は特に重要な会議もないので、休んでも（　　　）だろう。
    a. さしさわる　　　b. さしさわれない　　　c. さしつかえる　　　d. さしつかえない
19. その新入社員は、自分が将来必ず社長になると言って（　　　）。
    a. いいかねない　　　b. かたくない　　　c. はばからない　　　d. かなわない
20. このアパートは駅前にあって便利な（　　　）、家賃が安い。
    a. 際には　　　b. 割には　　　c. 上には　　　d. 事には
21. せっかく旅行したのに、時間がなくて、その土地の有名な郷土料理を（　　　）だった。
    a. 食べずじまい　　　b. 食べないまで　　　c. 食べるべき　　　d. 食べたもの
22. 大津波の被害は海岸の周辺（　　　）、市街地にまで及んでいた。
    a. にひきかえ　　　b. にもまして　　　c. にとどまらず　　　d. にかかわらず
23. 人々の懸命な反対署名運動（　　　）、その法案は国会で可決されてしまった。
    a. はおろか　　　b. といえども　　　c. にひきかえ　　　d. のかいもなく
24. 今回のプロジェクトは、過去の経験を（　　　）慎重に検討されている。
    a. よそに　　　b. おいて　　　c. ふまえて　　　d. めぐって
25. 景気回復の兆しを受けてか、ここ数か月（　　　）我が社の売り上げは上向きだ。
    a. ときたら　　　b. というもの　　　c. としても　　　d. とともに
26. その発明家は何度失敗（　　　）、あきらめようとはしなかった。
    a. しそうにも　　　b. したからは　　　c. しようにも　　　d. しようとも
27. 彼はたとえ会社を（　　　）、難病の妻の看病をしようと思っていた。
    a. 辞めながら　　　b. 辞めてでも　　　c. 辞めてから　　　d. 辞めたからには
28. 二度と遅刻はしないと誓った（　　　）、何としても時間までに行かなければ。
    a. てまえ　　　b. ものを　　　c. とはいえ　　　d. すえに
29. 社長は、重役たちの反対（　　　）でも、この方針を貫くつもりらしい。
    a. をもって　　　b. をおいて　　　c. をおして　　　d. をよそに
30. 2年にわたる裁判所の調停（　　　）、ついに彼らは和解に至った。
    a. を経て　　　b. の際に　　　c. に関し　　　d. を限りに

8-2　受身・使役・使役受身

過去に出題された問題を確認しよう。

1．森の動物たちの映画を見て、家族の愛情（　　　）。【1999】
　　a．に心を打った　　　　　　　b．が心を打たれた
　　c．が心を打った　　　　　　　d．に心を打たれた

2．花田さんの冗談にはいつも思わず（　　　）。【1999】
　　a．笑われた　　b．笑わせた　　c．笑わせられた　　d．笑わさせられた

3．「だれかポスターをかいてくれる人を知りませんか。来月、社内オーケストラのコンサートを開くんです。」「ああ、それなら弟に（　　　）くださいませんか。美術学校の学生なんです。」【2000】
　　a．かかせてやって　　　　　　b．かかれてやって
　　c．かかせてもらって　　　　　d．かかれてもらって

4．この交通事故の原因は、運転者が前をよく見ていなかったためだと（　　　）。【2003】
　　a．見させる　　b．見えている　　c．見られている　　d．見させられる

練習問題

次の文の（　　　）に最も適当なものをa〜dの中から選びなさい。

1．学生時代真面目に勉強しなかったことが今になって（　　　）ならない。
　　a．悔やまれて　　b．悔やんで　　c．悔やませられて　　d．悔やませて

2．太古、地球上の大型恐竜が絶滅したのは、巨大な隕石が地球に衝突したからだと、一般的には（　　　）いる。
　　a．考えられて　　b．考えさせて　　c．考えて　　d．考えさせられて

3．彼女に転機が訪れたのは30代の半ばであった。ある映画のシナリオが（　　　）際に、彼女の応募した作品が採用されたのである。
　　a．公募した　　b．公募された　　c．公募させた　　d．公募させていた

4．ぐっすり寝ていたのに、電気を（　　　）目が覚めてしまった。
　　a．ついていて　　b．つけられて　　c．つけさせて　　d．つけさせられて

5．近年の少年犯罪の増加は、あらためて我々に家族関係の大切さを強く（　　　）。
　　a．感じた　　b．感じられた　　c．感じさせた　　d．感じさせられた

6．社長は、その社員を有無も（　　　）転勤させた。
　　a．言わされず　　b．言わせず　　c．言わず　　d．言われず

7．小さい子供を持つ親は、子供の人格形成のために、絵本を読んでやったり、美しい音楽を（　　　）して、努力することが大切である。
　　a．聞いたり　　　　b．聞かれたり　　　c．聞かされたり　　d．聞かせたり

8．先日、うっかりして風呂の湯を（　　　）しまい、アパートの階下の方に大変な迷惑をかけてしまった。
　　a．溢れて　　　　　b．溢れられて　　　c．溢れさせて　　　d．溢れさせられて

9．小学生の頃は、母親からピアノや英語を（　　　）、苦痛だった。
　　a．習わせて　　　　b．習われて　　　　c．習わされて　　　d．習わせてもらって

10．この小説は実話をもとにして書かれたもので、何度読み返しても感動（　　　）。
　　a．される　　　　　b．させる　　　　　c．させている　　　d．させられる

11．南海の島々を巡っていると、土地の人々が自然の恵みを最大限に享受しながらも、その自然に対して大きな畏敬の念をもって接していることに（　　　）。
　　a．気付かされる　　b．気付かれる　　　c．気付いている　　d．気付かせる

12．あの、すみませんが、明日アルバイトを（　　　）いただけないでしょうか。
　　a．お休み　　　　　b．休まれて　　　　c．休んで　　　　　d．休ませて

13．息子さんがそんなに行きたがっているなら、留学（　　　）らどうですか。
　　a．されてやった　　　　　　b．させてくれた
　　c．させてあげた　　　　　　d．されてもらった

14．友達だから（　　　）もらうけど。体によくないからたばこはやめたほうがいいと思うよ。
　　a．忠告して　　　　b．忠告させて　　　c．忠告されて　　　d．忠告させられて

8-3 敬語

> 過去に出題された問題を確認しよう。
>
> 1．このたび代表として国際会議に（　　）いただくことになりました。　【1997】
>   a．いかれて　　b．いかせて　　c．いかされて　　d．いかせられて
> 2．先生に（　　）、ますますお元気でご活躍のことと存じます。　【2000】
>   a．おかれましては　　　　b．なさいましては
>   c．なられましては　　　　d．つかれましては

練習問題

次の文の（　　）に最も適当なものをa〜dの中から選びなさい。

1．失礼ですが、こちらの会社の方で（　　）か？
   a．ございます　　b．存じます　　c．おられます　　d．いらっしゃいます

2．係の者がお席までご案内（　　）ので、しばらくこちらでお待ちください。
   a．されます　　b．いたします　　c．申します　　d．してさしあげます

3．生ものですので、なるべく早く（　　）ください。
   a．お召し上がり　　b．お召しになって　　c．召されて　　d．いただかれて

4．A社社員：部長が明日、御社に（ ① ）たいと（ ② ）が、ご都合はいかがですか。
   B社社員：恐れ入ります。午前中であれば（ ③ ）ますので、お待ちしております。
   ①a．いらっしゃり　　b．行かれ　　c．参られ　　d．伺い
   ②a．おっしゃっています　b．言われています　c．申しております　d．言っています
   ③a．お目にかけられ　b．お目にかかれ　c．お会いになれ　d．お会いされ

5．学生：今朝のテレビニュースを（ ① ）ましたか。
   教師：いいえ、今朝は時間がなかったので（ ② ）でした。
   ①a．拝見し　　b．お見えになり　　c．ご覧に入れ　　d．ご覧になり
   ②a．拝見しません　b．見ません　　c．見えません　　d．ご覧になりません

6．A：ご主人がお帰りになりましたら、電話があったとお伝え（ ① ）でしょうか？
   B：はい、（ ② ）ます。
   ①a．いただきます　b．いたします　c．申します　d．願えます
   ②a．伝えてさしあげ　b．申し伝え　c．申しあげ　d．お伝えいただけ

7．「涼しくなって（ ① ）が、皆様お変わりございませんか。この度、下記の住所へ引っ越しました。お近くに（ ② ）折には、ぜひお立ち寄りください。」
   ①a．いらっしゃいました　b．来られました　c．参りました　d．参られました
   ②a．参られた　b．お越しになった　c．お伺いした　d．おいでいただいた

8-4 自動詞・他動詞

過去に出題された問題を確認しよう。

1．この大学は七つの学部（　　　）いて、学生数は日本一である。【2002】
　　a．が分かれて　　b．を分けて　　c．と分かれて　　d．に分かれて

2．この町に大きな自動車工場ができるので、来年には労働人口が大幅に変化（　　　）と思われる。【2002】
　　a．される　　　b．させる　　　c．する　　　d．した

練習問題

次の文の（　　　）に最も適当なものをa～dの中から選びなさい。

1．家賃は少し高くても、風呂（　　　）ところに引っ越したいと思っている。
　　a．についている　　b．をつけている　　c．がついている　　d．をつけた

2．少年犯罪（　　　）ために、わたしたち大人が今、何をすべきか真剣に考えなければならない。
　　a．が減る　　　b．を減らす　　　c．が減らせる　　　d．を減らさせる

3．わたしは父親を早く亡くして苦労したから、子供には自分の好きな道に（　　　）。
　　a．進めてもらいたい　　　　b．進んでやりたい
　　c．進んでもらいたい　　　　d．進めてほしい

4．ドアにも窓にも鍵が（　　　）はずなのに、泥棒はどこから入ったのだろう。
　　a．かかってあった　　　　b．かけてあった
　　c．かかっておいた　　　　d．かけておいた

5．最近、若者たちの間で流行っている音楽を聴くと、たくさん片仮名や英語（　　　）いて意味のよくわからない歌詞が多い。
　　a．が混じって　　b．と混ぜて　　c．が混ぜずに　　d．に混じって

6．歴史的な建造物を修理・再建する際は、できるだけ元の部材（　　　）使うことが大切である。
　　a．が生きて　　b．を生かして　　c．が生きられて　　d．に生かされて

7．最近、その国ではIT産業が急速に（　　　）いる。
　　a．発展させて　　b．発展して　　c．発展されて　　d．発展させられて

8．今晩7時からクラス会があるので、なんとか6時までに自分の仕事（　　　）たい。
　　a．を終え　　b．が終えられ　　c．が終われ　　d．を終えさせ

第8章　確認問題

1．次の問題の会話文の（　　　）の中から最も適当なものを選びなさい。

1）

A子：今年こそ、わたし、ダイエットに成功（ してみる・してくれる・してみせる ）わよ。

B男：去年も同じこと言いながら、結局このダイエット方法は自分に合わない（ のなんで・のなんの・のなんか ）と言い訳して、だめだったじゃないか。

A子：あら、自分だって、たばこをやめるやめるって言いながら、なかなかやめられないくせに、人のことが（ どうして言える・よく言える・なかなか言えない ）わね。

B男：いやあ…　たばこも値上がりした（ ことだし・ことに・こととて ）、僕は本気でやめたいんだよ。

A子：そうよ。たばこなんて、吸わないに（ こすことは・こしていることは・こしたことは ）ないんだから。

B男：でも、君も（ 食べると寝、食べると寝・食っちゃ寝、食っちゃ寝・食べれば寝、食べれば寝 ）ばかりしていては、今年もダイエットは無理なんじゃないかい。

2）

社員A：おい、知ってるかい。今度、課長が支店に左遷（ なんだか・なんでよ・なんだって ）。

社員B：ああ。社長に盾をついたからだろう。でも、課長の気持ちも（ わからなくはない・わかりたくはない・わかりそうもない ）よ。うちの社長はワンマン過ぎるからなぁ。

社員A：そうだな。課長もつい、言わず（ まじき・もがな・ものを ）のことを言ってしまったんだろうな。

社員B：でも、そんなことで左遷されては（ かぎりない・かまわない・かなわない ）よなぁ。

社員A：いや、社長の気性を考えると、首に（ ならなかっただけ・ならなくても・ならないしか ）ましかもしれない。

社員B：しかし、こんなことじゃ、うちの会社もこれからどうなる（ ことなら・ことだろうに・ことやら ）。

3）
学生A：ねえ、リサさんって、最近とっても女（ めく・っぽく・ぎみに ）なったと思わない？

学生B：ボーイフレンドができたらしいよ。今日もアルバイトに（ そくして・かこつけて・ともなって ）授業が終わったとたんに教室を飛び出して行っちゃったもの。

学生A：ふうん、相手はどんな人？

学生B：それが、ちょっとでも（ 尋ねようにも・尋ねるものを・尋ねようものなら ）、真っ赤になっちゃって…。彼女、恥ずかしがりやだからね。

学生A：いいなあ。わたしたちもボーイフレンドが一人でも（ いたなら・いるとあって・いようが ）こんな所で、こんな時間まで他人のうわさ話なんかしてないでしょうにね。

2．次の文の（　　）に最も適当なものをa〜dの中から選びなさい。

1）こちらが黙って（　　）おけば、言いたい放題よく言えるものだ。
　　a．言われて　　b．言わせて　　c．言わされて　　d．言って

2）（　　）ございます。ご家族の皆様はお元気でいらっしゃいますか。
　　a．おなつかしくて　b．おなつかしい　c．おなつかしゅう　d．おなつかしいで

3）今度の連休に突然帰って、母を（　　）ようと思っています。
　　a．びっくりし　　b．びっくりされ　　c．びっくりさせ　　d．びっくりさせられ

4）こんなに長い行列ができる店なら、さぞおいしいだろう。1時間くらい（　　）でも食べてみたい。
　　a．並んで　　b．並べて　　c．並ばれて　　d．並ばせて

5）この件に関しましては、あらためて社内で検討いたしまして、後日お返事（　　）たいのですが。
　　a．されていただき　　　　b．なさっていただき
　　c．させていただき　　　　d．してさしあげ

6）彼女はまた遅刻かな。彼女には以前にも雨の中、30分も（　　）ことがあるんだ。
　　a．待たせた　　b．待っていた　　c．待たれた　　d．待たされた

7）このところ仕事が忙しくて寝不足なんだ。あしたは久しぶりの休みだから昼まで（　　）くれ。
　　a．起こさないで　b．起きさせないで　c．起こされないで　d．起こさせないで

8）給料は安いし、休みは少ないし、毎日遅くまで（　　）し、こんな会社もう辞めたい。
　　a．働ける　　b．働かされる　　c．働かれる　　d．働かせてくれる

9）社長はこの話については何も（　①　）ので、私の方からご説明（　②　）。
　①a．ご存じなかった　　　　　　　b．お知りでなかった
　　c．存じていなかった　　　　　　d．知っていない
　②a．になりました　　　　　　　　b．願いました
　　c．してあげました　　　　　　　d．いたしました

10）生活が豊かになるにつれて、ごみの量は（　　　）続けるだろう。
　　a．増加させ　　b．増加され　　c．増加し　　d．増加させられ

11）企画会議は明朝9時から始まるので、なんとか今日中に準備を（　　　）たいと思う。
　　a．終わらせ　　b．終えられ　　c．終われ　　d．終わらせられ

12）留学生は日本語の能力によって5つのクラスに（　　　）いる。
　　a．分けて　　b．分けさせて　　c．分けられて　　d．分かれさせて

第1章～第7章
総合問題

総合問題　第1回
総合問題　第2回

第1章～第7章　総合問題
第1回（1～109）

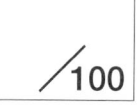

　　　　　　　　　　　　　　　　　　　　　　　　　　　　　／100

1．次の文の（　　）に最も適当なものをa～dの中から選びなさい。　　（5×5）

1）教師が「これで終わります」と言う（　　）早いか、その学生は教室を飛び出して行った。
　　a．と　　　　b．が　　　　c．は　　　　d．を
2）彼の奉仕活動は、実は有名になることが目的なので、称賛する（　　）はあたらないと言っている人たちもいる。
　　a．と　　　　b．の　　　　c．に　　　　d．で
3）4年間通ったこの大学とも、明日（　　）限りにお別れだ。
　　a．を　　　　b．で　　　　c．の　　　　d．に
4）今回の留学に関しては、わたしはわたしなり（　　）十分考えてのことです。
　　a．と　　　　b．で　　　　c．に　　　　d．の
5）その学生は日頃から真面目な努力家なので、学校としても推薦する（　　）足る人物と判断した。
　　a．を　　　　b．と　　　　c．に　　　　d．が

2．次の文の（　　）に最も適当なものをa～eの中から選び書きなさい。　（5×5）

　　　a．つつ　　b．かたわら　　c．がてら　　d．かたがた　　e．ついでに

1）駅まで行く（　　）郵便局で切手を買ってきてくれないか。
2）彼女は日本語教師の仕事の（　　）、ボランティアで手話通訳をしている。
3）国にいる家族のことを思い（　　）、彼は日本で勉強に励んでいる。
4）そろそろ桜の季節だ。お花見（　　）ドライブにでも行こうか。
5）卒業のご挨拶（　　）お世話になった先生のお宅を、級友たちとお訪ねしたいと思います。

3．次の文の（　　）に最も適当なものをa～cの中から選びなさい。　　　　（5×3）

1）言いたいことがあるなら、直接わたしに言えばいいものを。（　　　）。
　　a．どうしてはっきり言ってしまったの
　　b．はっきり言ってくれて、ありがとう
　　c．陰にかくれて言うなんて

2）今のわたしの成績では、どう頑張ってもA大学の合格は無理だ。（　　　）。
　　a．B大学に行かずにはおかない
　　b．せいぜいB大学というところだろう
　　c．B大学に行かないものでもない

3）景気が低迷期に入ってからというもの、中小企業の倒産や大企業の人員整理で、（　　　）。
　　a．多くの人たちが職を失うにはあたらなかった
　　b．多くの人たちが職を失うまでもなかった
　　c．多くの人たちが職を失うことを余儀なくされた

4．次の文の①～⑦の（　　）に最も適当なものを下のa～cの中から選びなさい。
（5×7）

　子供たちが自然に新しい知識を吸収していく速さには圧倒（　①　）ばかりだが、それに（　②　）大人が何か新しい知識を身に付けようとすれば、（　③　）の努力が必要とされる。なぜなら、新しい知識を自分のものにするためには、理解力（　④　）記憶力や柔軟性も大きく関わっているからだ。パソコンのキーを押すだけで、家に居（　⑤　）あらゆる知識が簡単に手に入る世の中になった（　⑥　）安心してはいられない。パソコンの操作を覚えられなければ（　⑦　）なのだから。

① 　a．された　　　b．されん　　　c．されない
② 　a．ひきかえ　　b．もまして　　c．そくして
③ 　a．それなり　　b．それすら　　c．それまで
④ 　a．なしに　　　b．なくして　　c．のみならず
⑤ 　a．ながらにして　b．ないまでも　c．がてら
⑥ 　a．ともなると　b．と思いきや　c．とはいえ
⑦ 　a．それだけ　　b．それまで　　c．それから

第1章～第7章　総合問題
第2回（1～109）　　　／100

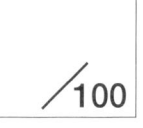

1．次の文の（　　）に最も適当なものをa～dの中から選びなさい。　　　（5×5）

1）家族の心配（　　）よそに、定職にもつかず毎日ぶらぶらしている若者が増えている。
　　a．で　　　　b．を　　　　c．の　　　　d．が

2）結果はどう（　　）あれ、最後まであきらめないでやり抜いた彼の努力は認めてあげたい。
　　a．が　　　　b．に　　　　c．で　　　　d．も

3）サッカーの練習に夢中になっている息子はいったん家を出た（　　）最後、暗くなるまで帰って来ない。
　　a．が　　　　b．は　　　　c．と　　　　d．や

4）今日は母の日（　　）あって、赤いカーネーションの花を買う人が多い。
　　a．も　　　　b．が　　　　c．と　　　　d．に

5）今後の議題の進行いかん（　　）よっては、会議は予定の時間に終わらない可能性もある。
　　a．と　　　　b．で　　　　c．を　　　　d．に

2．次の文の（　　）に最も適当なものをa～dの中から選びなさい。　　　（5×5）

1）少しは反省したか（　　）、彼はすぐまた同じような行動を繰り返している。
　　a．くせに　　b．ものの　　c．にせよ　　d．と思いきや

2）今さら後悔した（　　）、もうどうにもならない。
　　a．ところで　　b．ところが　　c．ものを　　d．にもかかわらず

3）あの子は幼い（　　）、事の重大さを理解していた。
　　a．としても　　b．ながらも　　c．ものを　　d．ばかりに

4）たとえ夫婦（　　）、お互いに相手の立場を尊重するべきだ。
　　a．ながらも　　b．ともなると　　c．であれ　　d．としたら

5）いくら一国の首相（　　）、すべての政治的権力を握っているわけではない。
　　a．とすれば　　b．ながらも　　c．といえども　　d．からといって

3．次の文の（　　）に最も適当なものをa～cの中から選びなさい。　　　（5×3）

1）会社の待遇改善を訴えるべく（　　　）。
   a. 彼は相変わらず遅刻して来た
   b. 彼は仲間と共に立ち上がった
   c. 彼は今まで通り一生懸命働いた

2）自分の夢を実現させんがため（　　　）。
   a. 彼は一人寂しく暮らしている
   b. 彼は新しく出発しようとしている
   c. 彼は毎晩友人たちと飲み歩いた

3）あの歌はメロディーもさることながら（　　　）。
   a. CDの売れ行きもまあまあというところだ
   b. カラオケでよく歌われている
   c. 歌詞にも心を打たれるものがある

4．次の文の①～⑦の（　　）に最も適当なものを下のa～cの中から選びなさい。

（5×7）

　五月（　①　）気候もよく、暖かい日にはだれしも旅行とは（　②　）、どこかへ出かけてみたくなる。しかし、わたしは病後の（　③　）、電車に乗ること（　④　）歩くことさえ思うようにできない（　⑤　）。我ながら情けない（　⑥　）が、無理をすることもできない。今はただ体の回復を待つ（　⑦　）。

① 　a. にひきかえ　　b. ともなると　　c. ならでは
② 　a. いわないまでも　b. 思いきや　　c. いえども
③ 　a. あって　　　　b. こととて　　　c. うちに
④ 　a. にひきかえ　　b. をおいて　　　c. はおろか
⑤ 　a. しまつだ　　　b. かぎりだ　　　c. までだ
⑥ 　a. のみだ　　　　b. 極みだ　　　　c. かぎりだ
⑦ 　a. かぎりだ　　　b. のみだ　　　　c. しまつだ

索引

あ

	機能語番号	ページ
～あっての	**70**	82
～いかん	**34**	40
～いかんにかかわらず	**35**	40
～いかんによらず	**35**	40
～いかんを問わず	**35**	40
言わずもがな	**8章-5**	129
～(よ)うが	**33**	29
～(よ)うが～まいが	**51**	49
～(よ)うと	**33**	29
～(よ)うと～まいと	**51**	49
～(よ)うにも～ない	**52**	52
～(よ)うものなら	**8章-11**	131

か

～かいもなく	**8章-13**	132
～かぎりだ	**86**	91
～かたがた	**1**	2
～かたわら	**2**	2
～がてら	**3**	2
～からある	**71**	82
～からの	**71**	82
～が最後	**12**	16
～が早いか	**4**	3
～きらいがある	**104**	120
～極まりない	**87**	91
～極まる	**87**	91
～ごとき	**53**	62
～ごとき	**72**	82
～ごとく	**53**	62

～ことだし	**8章-25**	136
～こととて	**19**	20
～ことなしに	**13**	16

さ

～しまつだ	**105**	120
～じゃあるまいし	**20**	20
～ずくめ	**54**	62
～ずじまい	**8章-14**	132
～ずにはおかない	**99**	108
～ずにはすまない	**100**	109
～(で)すら	**73**	83
～そばから	**5**	3

た

～だけまし	**8章-15**	132
ただ～のみ	**74**	83
ただ～のみならず	**40**	44
～たところで	**24**	24
～たなら…だろうに	**8章-21**	134
～だに	**75**	83
～たりとも	**76**	86
～たる	**77**	86
～つ～つ	**47**	48
～っぱなし	**55**	62
～であれ	**25**	24
～であれ～であれ	**48**	48
～てからというもの	**8**	6
～ですら	**73**	83
～てでも	**8章-26**	136
～でなくてなんだろう	**78**	86
～でなくてなんであろう	**78**	86

項目	番号	頁
〜ては…、〜ては…	8章-22	135
〜ではあるまいし	20	20
〜てはかなわない	8章-6	129
〜てまえ	8章-27	136
〜てまで…	8章-28	137
〜てみせる	8章-7	130
〜てもさしつかえない	8章-4	129
〜てやまない	91	104
(どんなに)〜と(も)	8章-24	135
〜と相まって	36	40
〜とあって	21	21
〜とあれば	14	16
〜といい〜といい	49	49
〜というところだ	106	120
〜というもの	8章-23	135
〜といえども	26	25
〜といったところだ	106	120
〜といったら(ありはし)ない	92	104
〜と思いきや	27	25
〜ときたら	79	87
〜ところを	28	25
〜としたって	29	28
〜としたところで	29	28
〜とは	80	87
〜とはいえ	30	28
〜とばかりに	56	63
〜ともなく	57	63
〜ともなしに	57	63
〜ともなると	15	17
〜ともなれば	15	17
どんなに〜と(も)	8章-24	135

な

項目	番号	頁
〜ないではおかない	101	109
〜ないではすまない	102	109
〜ないでもない	8章-8	130
〜ないともかぎらない	8章-2	128
〜ないまでも	41	44
〜ないものでもない	103	112
〜ながらに	58	63
〜ながらも	31	29
〜なくして(は)	16	17
〜なくはない	8章-8	130
〜なしに(は)	17	17
〜ならでは	18	20
〜なり	6	3
〜なり〜なり	50	49
〜なりに	59	66
〜なりの	59	66
〜なんてよく言える	8章-1	128
〜に(は)あたらない	93	104
〜にあって	60	66
〜に至って(は)	61	66
〜に至っても	61	66
〜に至る	61	66
〜に至るまで	61	66
〜にかかわる	37	41
〜にかこつけて	8章-16	133
〜にかたくない	94	105
〜にこしたことはない	8章-3	128
〜にしたって	29	28
〜にしたところで	29	28
〜にして	81	87
〜にそくした	62	67
〜にそくして	62	67
〜にたえない	63	67
〜にたえない	88	94
〜にたえる	64	67

項目	番号	ページ
〜に足る	65	70
〜にとどまらず	8章-17	133
〜にひきかえ	42	44
〜にもまして	43	45
〜の至り	89	94
〜の極み	90	94
〜のなんのと	8章-18	133

は

項目	番号	ページ
〜はおろか	44	45
〜ばこそ	82	90
〜ばそれまでだ	107	121
〜はばからない	8章-9	130
ひとり〜だけでなく	45	45
ひとり〜のみならず	45	45
〜べからざる	95	105
〜べからず	96	105
〜べく	22	21

ま

項目	番号	ページ
〜まじき	83	90
〜まで(のこと)だ	108	121
〜までもない	97	108
〜までもなく	97	108
〜まみれ	66	70
〜めく	67	70
〜もさることながら	46	48
〜ものを	32	29

や

項目	番号	ページ
〜や	7	6
〜やら	8章-10	131
〜や否や	7	6
〜ゆえ(に)	23	24
〜ゆえの	23	24
〜ようが	33	29
〜ようが〜まいが	51	49
〜ようと	33	29
〜ようと〜まいと	51	49
〜ようにも〜ない	52	52
〜ようものなら	8章-11	131
(〜なんて)よく言える	8章-1	128

わ

項目	番号	ページ
〜割に(は)	8章-12	131
〜をおいて	84	90
〜をおして	8章-29	137
〜を限りに	9	6
〜を皮切りとして	10	7
〜を皮切りに(して)	10	7
〜を禁じ得ない	98	108
〜をふまえて	8章-19	134
〜を経て	8章-30	137
〜をもって	11	7
〜をもって	68	71
〜をものともせずに	38	41
〜を余儀なくさせる	109	121
〜を余儀なくされる	109	121
〜をよそに	39	41

ん

項目	番号	ページ
〜んがため(に)	85	91
〜んがための	85	91
〜んだって	8章-20	134
〜んばかりだ	69	71
〜んばかりに	69	71
〜んばかりの	69	71

著者一覧（50音順）

植木　香
　上智大学文学部英文科卒業
　1990年より日本語教育に携わる。
　学校法人長沼スクール東京日本語学校ビジネス日本語科所属。その他、外資系企業においてビジネスパーソンへの日本語授業を行っている。

植田　幸子
　国際基督教大学教養学部人文科学科卒業
　筑波大学大学院修士課程地域研究研究科日本研究コース修了
　1991年より日本語教育に携わる。
　㈶日本国際協力センター、神田外語大学留学生別科、九州大学留学生センター等にて日本語教育に携わり、現在、㈱国際協力機構（JICA）にて日本語講師を務める。

野口　和美
　関西外国語大学短期大学部米英語学科卒業
　1986年より日本語教育に携わる。
　日本語講師として専門学校、日本語学校、企業において、留学生教育及び、企業研修生教育に従事し、現在に至る。

イラスト
　三木延義（そぞろ工房）

改訂版　完全マスター1級
日本語能力試験文法問題対策

　　　1997年 8月 5日　初版第 1 刷発行
　　　2005年 7月11日　改訂版第 1 刷発行
　　　2024年 5月28日　改訂版第16刷発行

著　者　　植木香　植田幸子　野口和美
発行者　　藤嵜政子
発　行　　株式会社　スリーエーネットワーク
　　　　　〒102-0083　東京都千代田区麹町3丁目4番
　　　　　　　　　　　トラスティ麹町ビル2F
　　　　　電話　営業　03（5275）2722
　　　　　　　　編集　03（5275）2725
　　　　　https://www.3anet.co.jp/
印　刷　　株式会社シナノ

ISBN978-4-88319-356-1 C0081
落丁・乱丁本はお取替えいたします。
本書の全部または一部を無断で複写複製（コピー）することは著作権法上での例外を除き、禁じられています。

■ 新完全マスターシリーズ

●新完全マスター漢字
日本語能力試験N1
　1,320円(税込)〔ISBN978-4-88319-546-6〕
日本語能力試験N2（CD付）
　1,540円(税込)〔ISBN978-4-88319-547-3〕
日本語能力試験N3
　1,320円(税込)〔ISBN978-4-88319-688-3〕
日本語能力試験N3 ベトナム語版
　1,320円(税込)〔ISBN978-4-88319-711-8〕
日本語能力試験N4
　1,320円(税込)〔ISBN978-4-88319-780-4〕

●新完全マスター語彙
日本語能力試験N1
　1,320円(税込)〔ISBN978-4-88319-573-2〕
日本語能力試験N2
　1,320円(税込)〔ISBN978-4-88319-574-9〕
日本語能力試験N3
　1,320円(税込)〔ISBN978-4-88319-743-9〕
日本語能力試験N3 ベトナム語版
　1,320円(税込)〔ISBN978-4-88319-765-1〕
日本語能力試験N4
　1,320円(税込)〔ISBN978-4-88319-848-1〕

●新完全マスター読解
日本語能力試験N1
　1,540円(税込)〔ISBN978-4-88319-571-8〕
日本語能力試験N2
　1,540円(税込)〔ISBN978-4-88319-572-5〕
日本語能力試験N3
　1,540円(税込)〔ISBN978-4-88319-671-5〕
日本語能力試験N3 ベトナム語版
　1,540円(税込)〔ISBN978-4-88319-722-4〕
日本語能力試験N4
　1,320円(税込)〔ISBN978-4-88319-764-4〕

●新完全マスター単語
日本語能力試験N1 重要2200語
　1,760円(税込)〔ISBN978-4-88319-805-4〕
日本語能力試験N2 重要2200語
　1,760円(税込)〔ISBN978-4-88319-762-0〕

改訂版　日本語能力試験N3 重要1800語
　1,760円(税込)〔ISBN978-4-88319-887-0〕
日本語能力試験N4 重要1000語
　1,760円(税込)〔ISBN978-4-88319-905-1〕

●新完全マスター文法
日本語能力試験N1
　1,320円(税込)〔ISBN978-4-88319-564-0〕
日本語能力試験N2
　1,320円(税込)〔ISBN978-4-88319-565-7〕
日本語能力試験N3
　1,320円(税込)〔ISBN978-4-88319-610-4〕
日本語能力試験N3 ベトナム語版
　1,320円(税込)〔ISBN978-4-88319-717-0〕
日本語能力試験N4
　1,320円(税込)〔ISBN978-4-88319-694-4〕
日本語能力試験N4 ベトナム語版
　1,320円(税込)〔ISBN978-4-88319-725-5〕

●新完全マスター聴解
日本語能力試験N1（CD付）
　1,760円(税込)〔ISBN978-4-88319-566-4〕
日本語能力試験N2（CD付）
　1,760円(税込)〔ISBN978-4-88319-567-1〕
日本語能力試験N3（CD付）
　1,650円(税込)〔ISBN978-4-88319-609-8〕
日本語能力試験N3 ベトナム語版（CD付）
　1,650円(税込)〔ISBN978-4-88319-710-1〕
日本語能力試験N4（CD付）
　1,650円(税込)〔ISBN978-4-88319-763-7〕

■読解攻略！
日本語能力試験 N1レベル
　1,540円(税込)〔ISBN978-4-88319-706-4〕

■日本語能力試験模擬テスト

CD付　各冊990円(税込)

●日本語能力試験N1 模擬テスト
〈1〉〔ISBN978-4-88319-556-5〕
〈2〉〔ISBN978-4-88319-575-6〕
〈3〉〔ISBN978-4-88319-631-9〕
〈4〉〔ISBN978-4-88319-652-4〕

●日本語能力試験N2 模擬テスト
〈1〉〔ISBN978-4-88319-557-2〕
〈2〉〔ISBN978-4-88319-576-3〕
〈3〉〔ISBN978-4-88319-632-6〕
〈4〉〔ISBN978-4-88319-653-1〕

●日本語能力試験N3 模擬テスト
〈1〉〔ISBN978-4-88319-841-2〕
〈2〉〔ISBN978-4-88319-843-6〕

●日本語能力試験N4 模擬テスト
〈1〉〔ISBN978-4-88319-885-6〕
〈2〉〔ISBN978-4-88319-886-3〕

スリーエーネットワーク

ウェブサイトで新刊や日本語セミナーをご案内しております。
https://www.3anet.co.jp/

改訂版　完全マスター1級
日本語能力試験文法問題対策

解答

第1章

練習問題（1～11）

1 1．b 2．1）b 2）c 3）a 4）d

2 1．1）b 2）a 2．1）勉強 2）大学教授／作家（さっか）／タレント／評論家（ひょうろんか）

3 1．1）b 2）c 2．1）買い物に行こう／買い物に行った 2）お花見
　 3）旅行／遊び／観光

4 1．1）c 2）b 2．1）食べ始めた 2）見るが／目にする
　 3）詰（つ）めかけた／押し寄せた

5 1．1）b 2）c 3）a 2．1）たばこを吸い出した／たばこを吸っている／たばこに火をつけた 2）並べる／並べた／出す／出した／置く／置いた

6 1．1）d 2）b 2．1）食べる／口にする 2）（やって）来る／着く

7 1．1）b 2）a 2．1）c 2）b

8 1．1）b 2）c 2．1）報道されて 2）なって 3）泣いて

9 1．1）b 2）c 3）a 2．1）今日／あした／今月／今学期〈近い未来を表す具体的な日、または時間など〉 2）引退（いんたい）（すること）を 3）力

10 1．1）c 2）a 2．1）各地／各都市 2）発言したの／意見を述べたの
　 3）（超）小型化（ちょうこがたか）／技術革新

11 1．1）a 2）b 2．1）終了させて／締（し）め切（き）らせて
　 2）一時閉店する／休業する

確認問題（1～11）

　　1．d 2．d 3．b 4．d 5．c 6．a 7．b 8．c
　　9．b 10．a 11．b

実戦問題（1～11）

　　1．b 2．b 3．a 4．c 5．b 6．c 7．d 8．a
　　9．d 10．c

第2章

練習問題（12～33）

12 1．1）b 2）b 2．1）始めた／やり出した 2）食べた／口にした
　 3）手に入れる／入手する／買い戻す

13 1）d　2）b　3）a　4）e　5）c

14 1．1）a　2）a　　2．1）子供のため　2）商品でもそろえます／品物でもご用意いたします　3）治る／治せる／よくなる

15 1．1）b　2）c　3）a　　2．1）大学に入学する／子供を大学に行かせる　2）連休／夏休み

16 1．1）c　2）b　3）a　　2．1）練習／訓練／トレーニング　2）存続／発展

17 1．1）c　2）a　　2．1）海外旅行／出国すること　2）手続き／健康チェック　3）成功（すること）はない

18 1）e　2）a、h　3）f　4）i　5）b

19 1．1）c　2）b　3）c　　2．1）出張中／不在　2）狭い　3）お許し

20 1．c　　2．1）b　2）c　3）a

21 1．1）b　2）b　3）a　　2．1）発表する／意見を述べる／演じる　2）おいしい

22 1．1）a　2）c　3）c　　2．1）運動／スポーツ　2）解く　3）罪を犯した／犯人である／やった

23 1．1）b　2）a　3）c　　2．1）思う（が）／愛する（が）／心配する（が）　2）寂しさ／寂しい（が）

24 1．1）b　2）a　　2．1）間に合い／乗れ　2）謝った　3）引き受けてはくれないだろう／うんと言わないだろう

25 1．b　　2．1）答えられない　2）どこ／どんなに小さい会社　3）守らなければならない

26 1．1）c　2）a　　2．1）おいしく／ご馳走に　2）日本人　3）勉強し／覚え　4）罰せられるだろう／罪を償わなければならない

27 1．1）c　2）a　　2．1）入院した／入院してしまった／病状が悪化してしまった　2）できる／休める

28 1．1）c　2）b　3）c　　2．1）遅くなって〈相手の家を訪ねて言う時〉／伺えなくて〈電話などでお詫びを言う時〉　2）お忙しい／お休みの

29 1．1）b　2）a　3）c　　2．1）思えない／限らない　2）大企業

30 1．1）b　2）a　3）c　　2．1）休めない／休むことはできない／ゆっくりできない　2）（たとえ）親

31 1．1）c　2）c　3）a　2．1）大人の言うことがよくわかる／よく親の手伝いをしている　2）迷い

32 1）c　2）b　3）c　4）b　5）c

33 1．1）来よう　2）あろう　3）安かろう　4）大変だろう
　2．1）買える　2）言われよう

確認問題（12〜33）

1．a　2．b　3．c　4．a　5．c　6．d　7．a　8．b
9．c　10．d　11．d　12．b　13．d　14．c　15．c　16．d
17．a　18．d　19．b　20．a　21．c　22．b

実戦問題（12〜33）

1．a　2．d　3．c　4．a　5．b　6．c　7．b　8．d
9．b　10．a　11．d　12．c　13．b　14．a　15．d　16．c
17．a　18．b　19．c　20．a　21．b　22．d

第3章

練習問題（34〜52）

34 1．1）a　2）c　2．1）b　2）c　3）a

35 1．1）c　2）a　3）b　2．1）年齢の／性別の／経験(年数)の
　2）うれしい

36 1．b　2．1）政策／施策　2）豪雨／大雨　3）伝わる／手に入る／わかる

37 1．1）c、に　2）に、a　2．1）存続に／存亡に／未来に
　2）子供の成長に／子供の発育に／健康に

38 1．c　2．1）a　2）b

39 1．1）b　2）a　3）b　2．1）のんびりしている／のんきに構えている／真剣に取り組もうとしない　2）反対

40 1．1）b　2）a　3）b　2．1）政府／行政　2）重大だ／深刻だ／心配だ

41 1．1）c　2）a　3）b　2．1）出さない／出せない／書かない／書けない
　2）（見送りに）行かない／行けない

42 1．1）a　2）c　3）c　2．1）厳しい　2）物価が安いの／物価の安さ

43 1．1）b　2）b　3）c　2．1）悪くなっている／悪化した

44 1．1）c 2）b　　2．1）立つこと／座ること　2）海外旅行／外国旅行

45 1．1）c 2）c 3）a　　2．1）人間　2）国民／庶民(しょみん)

46 1．b　　2．1）a 2）c 3）b

47 1）e 2）c 3）f 4）a 5）d 6）b

48 1．b　　2．1）山　2）猫(ねこ)　3）成人／成年

49 1．1）b 2）c 3）c　　2．1）そっくりだ／よく似ている　2）月給／給料

50 1．b　　2．1）かける／する、書く／出す　2）調べる、聞く／質問する／尋(たず)ねる　3）親／先生／友人／先輩(せんぱい)〈信頼(じんらい)できる人物(じんぶつ)を2人挙(あ)げる〉

51 1．1）使おう、使うまいと　2）食べよう、食べるまいが／食べまいが　3）来よう、来るまいが／来まいが　2．1）あろう、あるまいと　2）行こう、行くまいが／止めよう、止めまい

52 1．b　　2．1）歩こう、歩けない　2）買おう　3）かけよう／しよう

確認問題（34～52）
1．b　2．d　3．d　4．a　5．a　6．b　7．a　8．d
9．d　10．b　11．c　12．b　13．c　14．d　15．c　16．d
17．c　18．a　19．b

実戦問題（34～52）
1．c　2．d　3．b　4．a　5．c　6．a　7．c　8．d
9．d　10．a　11．c　12．a　13．d　14．d　15．b　16．c
17．d

第4章

練習問題（53～69）

53 1）山のごとき　2）風のごとく　3）海のごとく〈「海のごとく」は「広い」にかかる〉／海のごとき〈「海のごとき」は「広い心」にかかる〉　4）飛ぶがごとき　5）泣くがごとき

54 1．1）d 2）f 3）e　　2．1）昇進するし／昇給するし、就職(しゅうしょく)する／結婚する／大学に入学する〈娘がすると思われるよい内容のこと〉　2）悪いこと／失敗

55 1．1）b 2）b　　2．1）返すことができた　2）出しっぱなし　3）叱(しか)られっぱなし／注意されっぱなし

56 1．1）c　2）a　　2．1）いやだ／だめだ　2）退屈だ／つまらない

57 1．1）見る、見て／見ながら　2）聞く、聞いて　3）思い出す、思い出して
　2．1）話す／言う　2）（外へ）出て行った／歩いていた

58 1．1）c　2）a　　2．1）昔　2）居　3）生まれ

59 1．1）c　2）b　　2．1）勉強をしなければならない　2）下手

60 1．c　　2．1）b　2）a

61 1．1）d　2）b　　2．1）至るまで　2）南

62 1．c　　2．1）社則　2）出されている／出題されている／作られている

63 1．b　　2．1）c　　3．1）見るに　2）ひどいものだ／下手だ

64 1．1）c　2）b　　2．1）a　2）c

65 1．1）a　2）b　3）b　　2．1）称賛する　2）価値　3）取る／恐れる

66 1．1）b　2）c　　2．1）油／汗　2）泥

67 1．1）c　2）a　3）c　　2．1）都会めいて　2）冬めいた

68 1．1）b　2）a　3）c　　2．1）衝撃　2）優勝

69 1．1）c　2）b　　2．1）倒れん　2）飛び上がらん　3）ちぎれん
　4）発車せん

確認問題（53～69）

　1．b　　2．d　　3．a　　4．d　　5．d　　6．b　　7．c　　8．c
　9．b　　10．c　　11．a　　12．c　　13．c　　14．d　　15．a　　16．b
　17．a

実戦問題（53～69）

　1．c　　2．a　　3．b　　4．b　　5．c　　6．b　　7．d　　8．a
　9．b　　10．d　　11．c　　12．a　　13．b　　14．a

第5章

練習問題（70～90）

70 1．1）b　2）c　3）a　　2．1）命　2）当選／勝利　3）大切にしなければならない

71 1．1）c　2）b　3）c　　2．1）覚えなければ／習得　2）3～5万円〈日本ではこの程度の金額が適当と思われる〉　3）10人〈日本ではこの程度の人数

が適当と思われる〉

72 1．1）b　2）a　2．1）文句(もんく)を言うと／意見をすると／反抗すると
2）思いませんでした

73 1．1）b　2）c　2．1）(大(だい)の)大人　2）読めなかった／書けなかった／わからなかった

74 1．1）c　2）a　2．1）待つ／聞く　2）祈る　3）実行

75 1．1）b　2）b　2．1）思わなかった　2）腹(はら)が立つ／気分が悪くなる

76 1．1）a　2）c　3）b　2．1）思い出さない日はない／忘れたことはない
2）一言

77 1．1）c　2）a　2．1）親／教育者　2）政治家／国会議員
3）心を配るべきだ／取り組むべきである

78 1．c　2．1）a　2）b　3）a

79 1．1）b　2）c　3）a

80 1．1）b　2）c　2．1）社長／国会議員／教授　2）海外旅行／世界一周旅行

81 1．1）c　2）c　2．1）c　2）b　3）a

82 1．1）a　2）a　3）b　2．1）心配すれば／考えれば／思えば
2）安ければ

83 1．b　2．1）許す　2）ある　3）言う／話す

84 1．a　2．1）(何も／ほかに)ない　2）いない／考えられない
3）手術／この薬

85 1．a　2．1）c　2）c　3．1）つかん　2）努力を続けてきた／経営努力をしてきた

86 1．1）b　2）c　3）b　2．1）心細(ほそ)い／寂(さび)しい／不安な
2）負ける／失敗する／優勝できなかった

87 1．1）c　2）a　3）c　2．1）騙(だま)す／裏切(うらぎ)る　2）不健康／不健全

88 1．1）c　2）c　2．1）b　2）a

89 1．1）c　2）a　3）b　2．1）感激　2）感謝／感激

90 1．1）a　2）b　2．1）幸福の／幸(しあわ)せの／感激　2）疲労の

確認問題（70〜90）

1．d　2．b　3．c　4．b　5．c　6．a　7．c　8．a

9．d　　10．c　　11．d　　12．b　　13．a　　14．c　　15．b　　16．c
17．d　　18．c　　19．a　　20．b　　21．c　　22．b

実戦問題（70～90）

1．a　　2．d　　3．d　　4．b　　5．c　　6．a　　7．c　　8．d
9．b　　10．c　　11．b　　12．a　　13．b　　14．c　　15．d　　16．b
17．d　　18．c　　19．b

第6章

練習問題（91～103）

91　1．a　　2．1）願って／祈って　2）期待して　3）後悔して

92　1．b　　2．1）c　2）a　3）c

93　1．1）a　2）c　3）b　　2．1）失望／落胆　2）だれもが知っていた／わかっていた／聞いていた

94　1．b　　2．1）c　2）a

95　1．1）b　2）a　　2．1）言う／口にする　2）プライバシー

96　1．b　　2．1）止める　2）入る　3）話す／しゃべる　4）見たくなるものだ／見たくなる

97　1．c　　2．1）聞く／教えてもらう　2）言う／確認する

98　1．1）b　2）a　　2．1）怒り　2）驚き／同情／悲しみ／涙

99　1．1）c　2）b　　2．1）首にせず／退職させず／辞めさせず／罰せず
2）優しさ／温かさ／親切／思いやり

100　1．a　　2．1）飲まずには　2）入院せずには／仕事を休まずには
3）事故を起こした／けがをさせた／損害を与えた

101　1．c　　2．1）c　2）b　3）b

102　1．c　　2．1）お見舞いに行かない　2）説明しない／理由を話さない
3）言わない／申し上げない

103　1．b　　2．1）出られない　2）通じない　3）しない　　3．食べたくない

確認問題（91～103）

1．c　　2．b　　3．d　　4．c　　5．a　　6．d　　7．c　　8．b
9．b　　10．a　　11．c　　12．d　　13．a

実戦問題（91～103）

1．b　2．d　3．c　4．a　5．a　6．c　7．a　8．b
9．d

第7章

練習問題（104～109）

104　1．1) b　2) a　3) c　　2．1) 働きすぎる／働きすぎの　2) 手に入る／買ってもらえる

105　1．1) a　2) b　　2．1) 言うしまつだ／言い出すしまつだ　2) 遅刻するしまつだ／遅れて来るしまつだ

106　1．b　2．1) c　2) a

107　1．1) 使わなければ　2) 遅れれば　3) 気に入らなければ　4) 言わなければ
2．1) 使い方がわからなければそれまでだ／操作ができなければそれまでだ　2) なければそれまでだ／下りなければそれまでだ／取れなければそれまでだ

108　1．1) a　2) c　　2．1) 任せるまでだ　2) 聞いてみたまでです／確かめたまでです

109　1．a　　2．1) 欠航を余儀なくされた／遅延を余儀なくされた　2) 帰国を余儀なくさせた　3) 避難(生活)を余儀なくさせた／苦しい生活を余儀なくさせた

確認問題（104～109）

1．c　2．b　3．a　4．c　5．d　6．d

実戦問題（104～109）

1．b　2．a　3．c　4．a　5．b　6．d

第8章

8-1　練習問題

1．c　2．a　3．c　4．d　5．d　6．c　7．c　8．a
9．d　10．b　11．a　12．b　13．c　14．d　15．c　16．b
17．b　18．d　19．c　20．b　21．a　22．c　23．d　24．c
25．b　26．d　27．b　28．a　29．c　30．a

8-2 練習問題

1．a　2．a　3．b　4．b　5．c　6．b　7．d　8．c

9．c　10．d　11．a　12．d　13．c　14．b

8-3 練習問題

1．d　2．b　3．a　4．①d　②c　③b

5．①d　②b　6．①d　②b　7．①c　②b

8-4 練習問題

1．c　2．b　3．c　4．b　5．a　6．b　7．b　8．a

確認問題

1．1）してみせる、のなんの、よく言える、ことだし、こしたことは、食っちゃ寝食っちゃ寝

2）なんだって、わからなくはない、もがな、かなわない、ならなかっただけ、ことやら

3）っぽく、かこつけて、尋(たず)ねようものなら、いたなら

2．1）b　2）c　3）c　4）a　5）c　6）d　7）a

8）b　9）①a　②d　10）c　11）a　12）c

総合問題

総合問題　第1回（1～109）

1．1）b　2）c　3）a　4）c　5）c

2．1）e　2）b　3）a　4）c　5）d

3．1）c　2）b　3）c

4．①b　②a　③a　④c　⑤a　⑥c　⑦b

総合問題　第2回（1～109）

1．1）b　2）c　3）a　4）c　5）d

2．1）d　2）a　3）b　4）c　5）c

3．1）b　2）b　3）c

4．①b　②a　③b　④c　⑤a　⑥c　⑦b